Guía Visual de Creación y diseño Web

Edición 2014

Miguel Pardo Niebla

GUÍAS VISUALES

Juan Ignacio Luca de Tena, 15. 28027 Madrid
Depósito legal: M. 15.181-2013
ISBN: 978-84-415-3399-8
Printed in Spain

1. Fundamentos básicos de Internet 6

2. Diseño Web 32

3. Desarrollo de un sitio Web 48

Capítulo 1

Fundamentos básicos de Internet

Internet

Internet, la Red o la Autopista de las comunicaciones, es un conjunto de redes descentralizadas de ordenadores configurados para comunicarse entre sí mediante un "lenguaje común" o protocolo. De esta forma, es posible mantener conectados de manera casi inmediata compartiendo información, ordenadores situados en lugares muy distantes del planeta.
Los orígenes de Internet se remontan al año 1969, en el que la Agencia de Proyectos de Investigación Avanzados de Defensa (DARPA) de los Estados Unidos, estableció la primera conexión entre ordenadores que se denominó ARPANET. El objetivo de esta red primigenia era descentralizar la información militar estratégica de forma que cada componente de la red pudiera acceder a dicha información de manera independiente al resto de las máquinas. Así pues, si cualquiera de los nodos de la red era destruido o dejaba de funcionar, el resto de los componentes seguirían siendo totalmente funcionales. La primera conexión de ordenadores se estableció entre las Universidades de California e Utah.

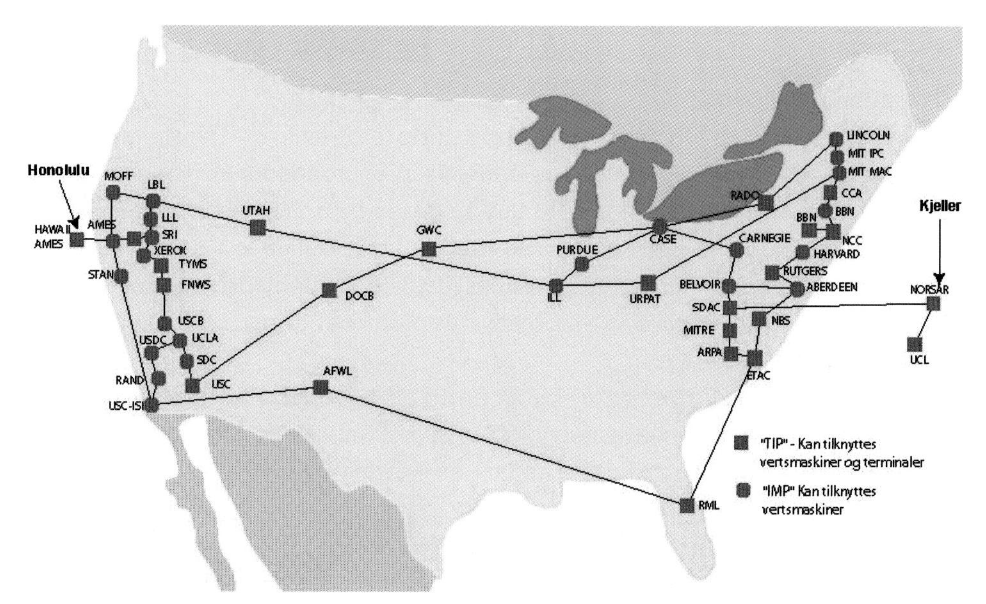

Las conexiones entre ordenadores se establecen por medio de una serie de protocolos TCP/IP, unos "lenguajes comunes" que hablan todos los ordenadores conectados a Internet. El más popular de todos ellos, es el protocolo http, que se utiliza para acceder a las páginas Web.
Otros protocolos y servicios de amplia difusión en Internet son el correo electrónico (protocolo SMTP), la transmisión de archivos (a través de protocolos como FTP y P2P), los *chat* (IRC) o la telefonía IP (VoIP).
Los datos sobre número de usuarios a nivel mundial varían de unas fuentes a otras, pero los principales organismos y empresas de consultoría calculan que en 2012 ascendió a más de 2.400 millones de personas. Literalmente, TCP/IP significa protocolo de control de transmisión (TCP) y protocolo de Internet (IP).

La Web

Probablemente uno de los servicios más utilizados de Internet sea la Web o *World Wide Web* (WWW o W3). La Web está formada por un conjunto de protocolos mediante los cuales es posible compartir información entre ordenadores gracias a un formato de archivo que se conoce como de hipertexto. Éste es un formato de archivo que permite recorrer fácilmente un conjunto de documentos enlazados a través de una serie de enlaces, hipervínculos o referencias cruzadas.

La Web está basada en el desarrollo de Internet y empezó a formarse en Suiza a principios de 1990 en la Organización Europea para la Investigación Nuclear (CERN). Tim Berners-Lee es considerado como el creador de la Web.

El protocolo sobre el que se fundamente la Web es http (Protocolo de Transferencia de Hipertexto), que especifica la forma en la que se comunican el ordenador donde se almacena un archivo Web (servidor) y el ordenador en el que se desea consultar dicho archivo (cliente).

Tim O'Reilly acuñó en el año 2004 el término Web 2.0 que define una segunda generación de la Web en la que predominan los servicios basados en comunidades de usuarios como las redes sociales, los blogs o los wikis, cuyo objetivo es promover el intercambio de información entre los usuarios de Internet.

En 2006 se habla por primera vez de Web 3.0, en un artículo elaborado por Jeffrey Zeldman asociando esta terminología a nuevas tecnologías tales como AJAX. No obstante, hoy en día no existe unanimidad respecto a la definición de este término.

Copyright © 2004 FreePhotosBank.com

Páginas y sitios Web

Una página o documento Web es todo archivo electrónico con un formato apropiado para su transmisión a través de los protocolos de la Web. Su principal característica es la utilización de enlaces o hipervínculos, referencias cruzadas que sirven para interconectar unos documentos con otros a través de la Red.

La programación de una página Web normal se realiza mediante lenguajes de programación estándar como HTML5 y XHTML y puede incluir funciones especiales desarrolladas en otros lenguajes de programación tales como Javascript, PHP, ASP, etc.

Un sitio Web es un conjunto de páginas Web relacionadas entre sí y agrupadas alrededor de un dominio de Internet (un fragmento de la Red identificado con diversos dispositivos o equipos conectados a Internet). La navegación a través de las distintas páginas de un sitio Web se realiza habitualmente por medio de enlaces o hipervínculos, aunque una página Web también puede contener vínculos a otros sitios Web y dominios diferentes.

En un clasificación generalista, las páginas Web se pueden dividir en estáticas (de contenido predeterminado o dinámicas (con un contenido cambiante generado en el momento de ser solicitadas).

Generalmente, cualquier página Web está compuesta tanto por texto como por otros elementos multimedia tales como imágenes, sonido y vídeos o animaciones.

Cómo se hace una página Web

Toda página Web es un documento electrónico (un archivo) elaborado mediante un lenguaje de programación (generalmente HTML5, lenguaje de marcado de hipertexto, u otros lenguajes especializados como Javascript para generar contenidos dinámicos) cuyo objetivo es describir la estructura, contenido y formato de dicho documento.

Estos archivos se copian o "publican" en un ordenador especial conectado a Internet (conocido como servidor) donde quedan a disposición de cualquier usuario de la Red. Desde el ordenador de cualquier usuario (ordenador cliente), se puede realizar una petición de consulta de dichos archivos. Dicha petición se realiza a través de un programa especial conocido como navegador o explorador Web que, a su vez, se encargará de interpretar el código almacenado en la página Web y de representarla en la pantalla del ordenador.

Nota: para poder acceder a cualquier página Web, será necesario conocer su dirección URL, una dirección que representa su ubicación dentro del entramado de servidores y páginas Web de Internet.

Los distintos elementos de una página Web (texto, hipervínculos, imágenes, etc.) se representan, describen o formatean mediante etiquetas HTML, palabras clave del lenguaje encerradas entre corchetes angulares (< y >).

La primera especificación del lenguaje HTML la describió Tim Berners-Lee en el año 1991 y estaba compuesta por un total de 22 elementos.

En 1995, la organización conocida como W3C (*World Wide Web Consortium*) desarrolló el borrador de la versión 3.0 del lenguaje HTML. Esta organización adoptó desde entonces la labor de desarrollar, mantener y hacer públicos los distintos estándares evolutivos que han ido apareciendo del lenguaje. En diciembre de 1999, el W3C publicó una versión en castellano de su recomendación sobre la especificación de HTML 4.01, que es la versión actualmente reconocida como estándar.

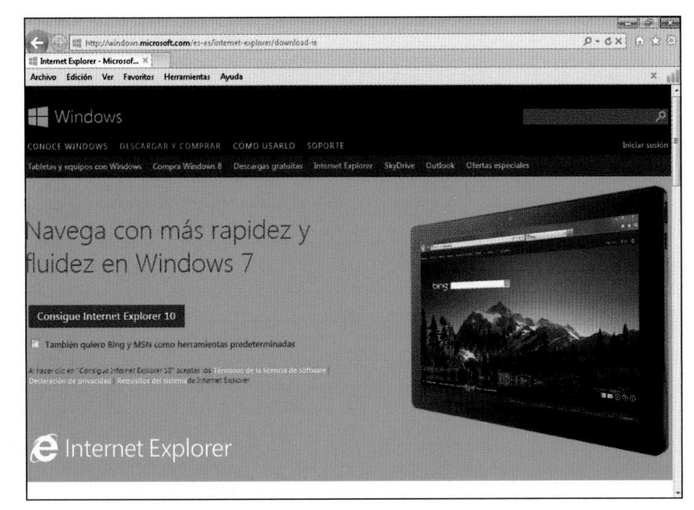

En la actualidad, se empiezan a llevar a cabo desarrollos Web con la versión HTML 5, entre cuyas mejoras se encuentra el manejo de códecs para contenidos Web, etiquetas para manejar grandes conjuntos de datos visores para formulas matemáticas y gráficos vectoriales, etc.

URL e hipervínculos

Toda página o documento Web de Internet está representado de forma única mediante una dirección URL (*uniform resource locator*, localizador uniforme de recursos), similar a una dirección postal ordinaria que describe la ubicación exacta en la que se encuentra dentro Internet. Así, para consultar una página determinada desde un navegador Web, será necesario especificar su dirección URL o utilizar un hipervínculo, un elemento HTML de otra página donde se haya especificado la dirección URL de la nueva página a la que se desea acceder. La estructura genérica de una dirección URL es: `esquema://equipo/carpeta/archivo`, como por ejemplo, `http://www.anayamultimedia.es/cgi-bin/main.pl`.

- *`esquema`* generalmente indica el protocolo de red necesario para especificar el documento o recurso especificado en la dirección URL. Normalmente, este protocolo es `http` (protocolo de transferencia de hipertexto) para páginas Web, aunque también pueden utilizarse esquemas tales como `https` (sistema `http` con seguridad añadida), `ftp` (para transferencias de archivos), `file` (que representa recursos disponibles en el propio ordenador donde se encuentra el navegador), etc.
- *`equipo`* es un nombre o dirección IP de un servidor específico en Internet con el que deseamos comunicar.
- *`carpeta/archivo`* es la carpeta dentro del sistema de archivos del ordenador servidor y el nombre del archivo, de manera similar a como especificamos una dirección de recurso en el explorador de archivos de un ordenador.

Cuando se especifica una URL a una página Web o recurso de Internet dentro de otra página Web, se utiliza el término enlace, vínculo o hipervínculo. Estos vínculos pueden asociarse a un fragmento de texto dentro de la página (especificándolo mediante un formato distinto de texto, tradicionalmente en color azul y subrayado), asociado a una imagen o, en general, sobre cualquier elemento incluido en dicha página.

Tipos de sitios Web

Una agrupación de documentos o páginas Web que se almacenan en un mismo servidor se conoce con el nombre de "sitio Web". Algunos de los principales tipos o categorías de sitios Web que se pueden encontrar en la Red son:

- **Escaparates comerciales:** son sitios donde se muestran los servicios o productos que ofrece una determinada empresa o profesional. Habitualmente, forman parte de la imagen corporativa de la propia empresa, son un componente más de una campaña publicitaria o de promoción de marca a nivel global o, incluso, disponen una plataforma de comercio electrónico desde la que se desarrolla la actividad económica de dicha empresa. Para que uno de estos sitios Web tenga éxito, deben incluir información que ayude a los visitantes a conocer la empresa y sus productos.
- **Portales o sitios Web de contenidos:** muestran información sobre un tema específico o sobre diferentes temas relacionados o no entre sí. Pueden ser portales horizontales con todo tipo de informaciones variopintas como el de Yahoo! (`http://www.yahoo.es`) o verticales, portales desarrollados alrededor de un tipo de información específico como el del Consejo Superior de Deportes (`http://www.csd.gob.es`). Un tipo particular de portal de contenidos son los blogs.
- **Comercio electrónico:** sitios exclusivamente dedicados a la compraventa de servicios o productos como por ejemplo Amazon (`http://www.amazon.com`) o eBay (`http://www.ebayanuncios.es/ebay`).
- **Comunidades:** sitios donde los visitantes participan de una manera activa creando sus propios contenidos. Ejemplos de este tipo de comunidades son los foros o las redes sociales: YouTube (`http://www.youtube.com`) o Facebook (`http://www.facebook.com`).
- **Buscadores:** sitios específicamente diseñados para la búsqueda de información en Internet (también conocidos como motores de búsqueda). Algunos de los buscadores más conocidos son Google (`http://www.google.es`) o bing (`http://www.bing.com`), aunque muchos portales como Yahoo! también incluyen sus propios motores de búsqueda.

Internet Explorer

Es el navegador desarrollado por Microsoft. Generalmente todas las versiones de Windows incluyen en su instalación la versión correspondiente del navegador, actualmente la versión 10.

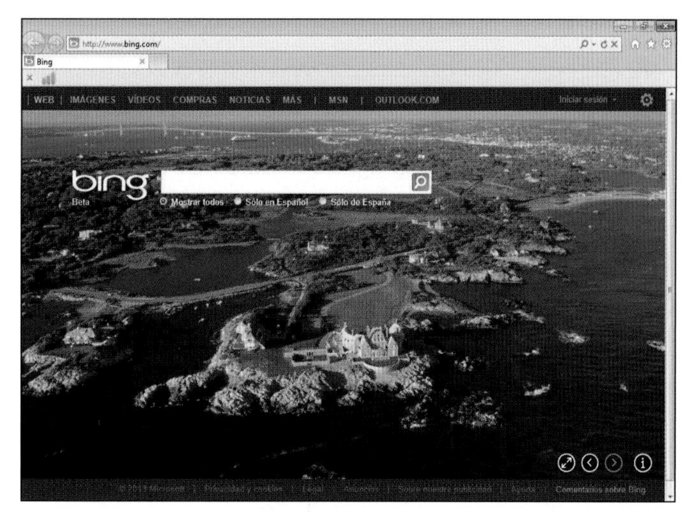

Como características de esta versión podemos destacar:

- Un diseño simplificado que maximiza el espacio disponible en la pantalla y un funcionamiento más rápido y fluido.
- Si visitamos con frecuencia un determinado sitio Web, podemos anclarlo a la barra de acceso rápido, arrastrando su icono desde Internet Explorer hacia la barra de tareas.

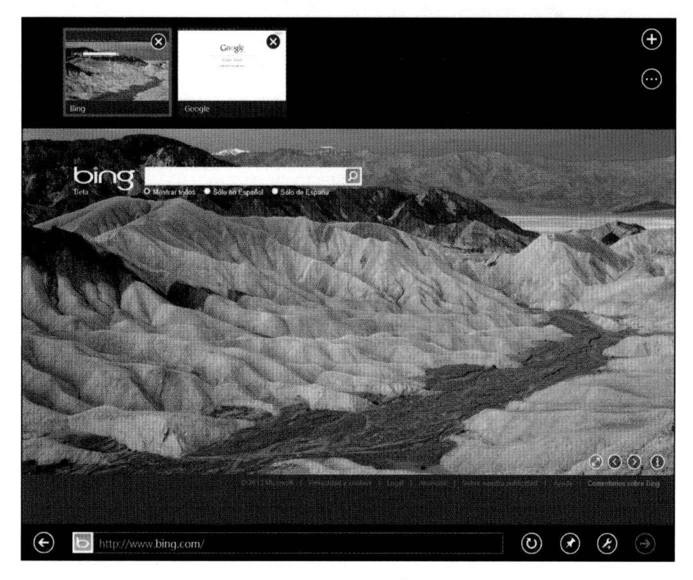

- La presentación de pestañas se realiza de manera compacta en el borde superior de la ventana, junto a la barra de direcciones. Dichas pestañas se pueden separar de la ventana principal arrastrándolas hacia el escritorio.
- Una nueva barra de notificaciones nos informará de cualquier circunstancia que afecte directamente a la operación de navegación que estemos realizando en cada momento y tomar decisiones sobre ellas.
- En Windows 8 disponemos además de una versión simplificada de Internet Explorer que no consume recursos del sistema y puede permanecer abierta en segundo plano mientras trabajamos con nuestro ordenador. Dispone de una interfaz aún más intuitiva y sencilla de manejar para mejorar al máximo nuestra experiencia de navegación

Para más información sobre Internet Explorer 10, visite la Web de Microsoft en la dirección `http://windows.microsoft.com/en-US/windows-8/internet-explorer`.

Google Chrome

En el momento de escribir este libro, Google Chrome instala su versión 26.0.1410.64. Es la apuesta de Google para entrar a formar parte del competitivo mercado de navegadores Web. Algunas de sus principales características son las siguientes:

- Diseño centrado en la velocidad, con un inicio más rápido y una carga instantánea de páginas Web. También permite realizar búsquedas en la Web a gran velocidad.
- Acceso directo a nuestra cuenta Google con todo su arsenal de herramientas.
- Funciones de seguridad que protegen el equipo contra sitios Web malintencionados gracias a tecnologías como la navegación segura, zonas de pruebas y actualizaciones automáticas. Google Chrome también incluye configuraciones de seguridad para la detección de phishing y advertencias sobre la posibilidad de software malintencionado.
- Control de la privacidad mediante el uso del modo conocido como "de incógnito", en el que el usuario puede navegar por la Web sin que queden registradas las descargas realizadas ni el historial de navegación del programa.
- Disponibilidad de numerosas extensiones o complementos para la configuración de alertas y notificaciones, el acceso sencillo a aplicaciones Web o la gestión de fuentes de noticias.
- Google Chrome incorpora la función de traducción automática dentro del propio navegador sin necesidad de complementos o extensiones adicionales. Cuando el idioma de una página Web no coincide con el idioma definido en las preferencias del navegador, Chrome solicita de forma automática la traducción del documento al idioma seleccionado.
- Sencillez de uso y una interfaz de usuario cómoda y atractiva gracias a herramientas tales como la posibilidad de personalizar el aspecto del navegador mediante la utilización de temas o el acceso rápido a sitios web favoritos a través de la ventana Nueva pestaña.
- Mejoras en la estabilidad del programa, ya que si cualquiera de las pestañas falla o se bloquea, las demás pestañas abiertas en el programa no se bloquearán.

Para más información y para descargar Google Chrome, visite la dirección `http://www.google.com/chrome?hl=es`.

Firefox

Mozilla Firefox es un navegador de carácter libre y gratuito basado en el motor de renderización de Gecko, donde se implementan los estándares Web más actualizados para la correcta interpretación de páginas. La última versión estable de Mozilla Firefox en español en el momento de publicar este libro se descarga bajo el apelativo de versión 20.0. Algunas de las características más importantes de Mozilla Firefox son:

- Mejoras en la seguridad y privacidad del navegador que permiten establecer la legitimidad de un sitio Web con el que se desea operar o eliminar todo rastro de la visita a un determinado sitio Web sobre el que se tenga cualquier tipo de dudas.
- Control parental para evitar determinados tipos de descargas indeseadas.
- Mejoras en el rendimiento a través de una mejor protección ante fallos o una gestión mejor de la memoria. Gracias al nuevo motor de presentación y trazado del programa, las páginas Web se cargarán más rápido.
- Más de 6.000 formas de personalizar el programa con la utilización de una numerosa biblioteca de complementos. El gestor de complementos de Firefox permite activar o desactivar fácilmente los distintos complementos instalados.
- La barra de direcciones inteligente de Mozilla Firefox permite localizar fácilmente cualquier sitio Web tanto escribiendo una dirección o parte de la misma como cualquier término que sirva para identificar dicho sitio. Además, es muy sencillo añadir y organizar marcadores a nuestros sitios preferidos, además de que el propio navegador se encargue de mantener una lista de marcadores inteligentes con los sitios más visitados o añadidos recientemente.
- La organización en pestañas de las distintas páginas abiertas en un momento dado en el navegador nos permiten acceder rápidamente a la información. También es posible recuperar una pestaña cerrada por accidente gracias al historial de pestañas cerradas recientemente o almacenar la combinación de pestañas abiertas en el programa en el momento de cerrarlo.

Para más información sobre este navegador y para su descarga visite la dirección `http://www.mozilla.com/es-ES/firefox/fx/`.

Safari

Safari es el navegador de Apple, instalado en el sistema operativo de los ordenadores Mac, aunque también existe una versión del navegador para ordenadores PC y sistemas operativos como Windows.

La versión para Windows más reciente del navegador en el momento de escribir este libro es la versión 5.1.7, cuyas características principales son las siguientes:

- Una experiencia de navegación mejorada que permite realizar búsquedas más rápidas y un nuevo concepto de pestañas totalmente nuevo. También ofrece la posibilidad de tuitear directamente páginas Web o subirlas a Facebook o compartirlas a través de correo electrónico o mensajes.
- Safari incluye una mejor compatibilidad con la versión de HTML5, el próximo estándar de programación de páginas Web de Internet. Entre estas mejoras se encuentra la representación a pantalla completa de vídeos y la utilización de subtítulos o la compatibilidad con estándares de geolocalización.
- Un mejor rendimiento gracias al motor Nitro Engine de la aplicación y a utilidades tales como la precarga de DNS y almacenamiento optimizado en caché.
- Una barra de direcciones inteligente que permite localizar una página Web escribiendo su dirección o cualquier término relacionado con la misma. También se incluyen búsquedas integradas con el motor de búsqueda de Google, un historial de búsquedas para recuperar fácilmente búsquedas realizadas recientemente y una serie de sugerencias de búsqueda que nos ayudarán a refinar nuestras búsquedas.
- Una mejor integración tanto con plataformas Mac (envío automático de correos electrónicos e impresión con el nuevo Lector de Safari, almacenamiento de imágenes directa en iPhoto, compatibilidad con Automator y AppleScritp, etc.) como con plataformas Windows (un aspecto en sintonía con Windows Vista o Windows 7, renderización de fuentes de Windows, ayuda para descarga de complementos, etc.)

Para más información sobre el programa y la descarga de Safari 5 para Mac y PC, visite la dirección `http://www.apple.com/es/safari`.

Opera

Opera es otro de los navegadores más usados en Internet, con versiones para plataformas Windows, Linux y Mac. Actualmente, se encuentra en su versión 12.13. Opera es un navegador con una amplia presencia en telefonía y otros dispositivos móviles. Algunas de sus características son:

- Un aprovechamiento efectivo de las últimas tecnologías, como un motor Javascript muy veloz o soporte para HTML5 y geolocalización.
- Una navegación más fácil, pistas visuales para verificar el nivel de confianza de un sitio, un acceso rápido para la organización de favoritos, etc.
- Mejoras en la seguridad y privacidad de la navegación gracias a sus herramientas para la navegación privada, un código de indicadores que nos informa del tipo de seguridad de la Web o un control de *cookies* para los sitios Web.
- Distintas formas de personalizar el navegador agregando, quitando o reubicando botones o barras de herramientas u organizando la lista de nuestros marcadores favoritos.
- Realización de búsquedas desde la barra de direcciones personalizando el motor de búsqueda deseado, sugerencias de búsqueda y recuperación sencilla de páginas Web visitadas con anterioridad.

Para más información, visite la Web del programa en la dirección `http://www.opera.com/es` o descargue el navegador desde la dirección `http://www.opera.com/es/computer/windows`.

Otros navegadores

Existen otros navegadores en el mercado que, aunque de carácter minoritario ofrecen una gran variedad a la hora de elegir navegador Web. K-Meleon, actualmente en su versión 1.5.4, se caracteriza, por:

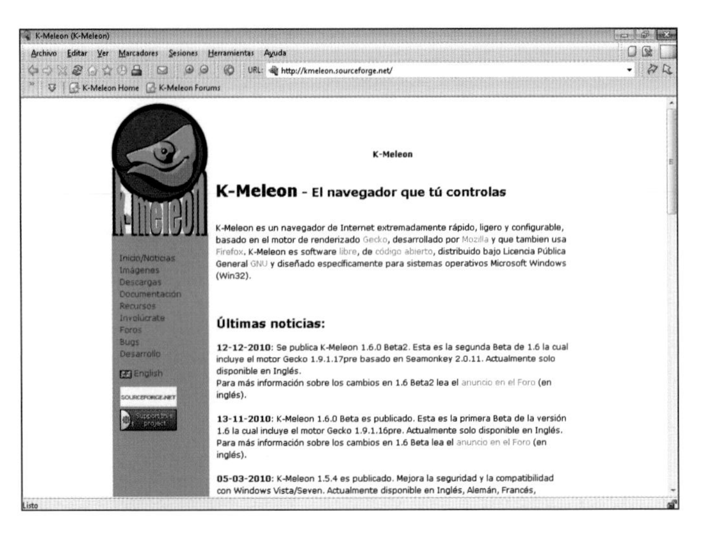

- Está basado en el mismo motor Gecko desarrollado por Mozilla para su navegador Firefox. Es un programa de libre distribución y gratuito especialmente diseñado para plataformas Windows.
- Permite importar los marcadores de favoritos de otros navegadores como Internet Explorer u Opera.
- Utilización de gestos del ratón popularizados por Opera para la navegación mediante un complemento específico que nos permite, por ejemplo, hacer clic con el botón derecho del ratón mientras lo desplazamos a izquierda o derecha para ir atrás o adelante en una página Web.
- Bloqueo de ventanas emergentes con publicidad no solicitada. También es posible recuperar dichas ventanas de forma rápida y sencilla para un sitio en particular.

Avant Browser, disponible en español en su versión 2013, es un navegador completamente gratuito, sin ninguna limitación de ningún tipo. Algunas características de Avant Browser son:

- Es un navegador seguro basado en Internet Explorer que soporta la navegación por sitios con seguridad SSL. Su instalación no modifica ninguna de las configuraciones del propio Internet Explorer, aunque puede representar cambios en la cadena de identificación del navegador.

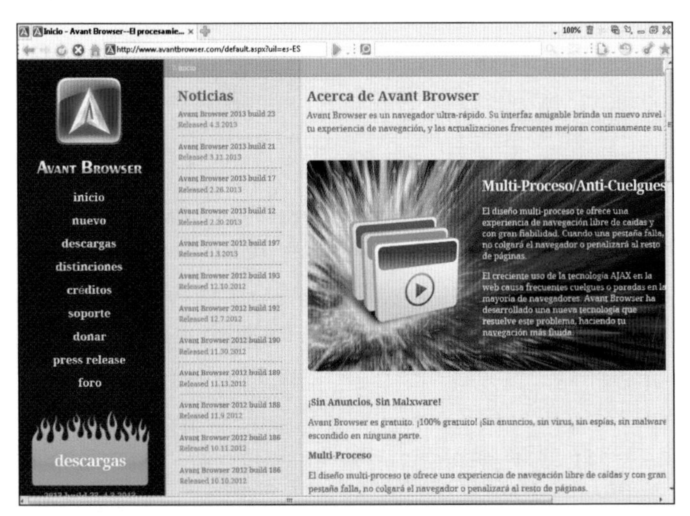

- Avant Browser trabaja con tecnología MDI, lo que le permite utilizar menos recursos del sistema, realizar una carga rápida de las páginas Web y controlar cada página abierta a gusto del propio usuario.
- Incorpora de manera integrada los motores de búsqueda de Yahoo! y Google.

Para más información sobre el navegador y para descargar el programa, vaya a la dirección `http://avantbrowser.com`.

En el momento de publicar este libro, la última versión en español de SeaMonkey era la 2.17, cuyas características principales son:

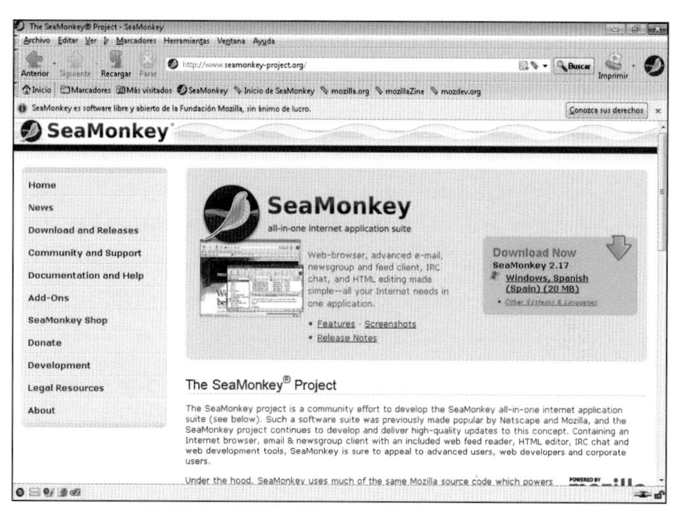

- Navegación a través de pestañas con funcionalidad para recuperar fácilmente las últimas pestañas o ventanas cerradas en el programa.
- Detección automática de fuentes de datos RSS o Atom y visión preliminar de dichas fuentes de datos.
- Un gestor que permite eliminar imágenes ofensivas o acelerar la carga de sitios Web.
- Posibilidad de recuperar automáticamente la última sesión de trabajo almacenando todas las páginas abiertas en el momento de cerrar la aplicación.
- Incluye varias herramientas de desarrollo Web, como un inspector DOM para comprobar la estructura de páginas Web e inspeccionar una enorme variedad de propiedades para cualquier elemento de dicha estructura, incluyendo objetos Javascript y estilos CSS. También dispone de un depurador de código Javascript.

Para más información y para descargar el programa, vaya a la dirección `http://www.seamonkey-project.org` (en inglés).

Otras opciones destacadas a la hora de elegir un navegador Web alternativo son:

- Rekonq, actualmente sólo para plataformas Linux, con una agradable interfaz y una gran velocidad de navegación. Ofrece soporte para *webapps* y sincronización de datos.
- Browzar, basado en Webkit, aunque se parece bastante a Firefox e incluso comparte compatibilidad con alguna de sus extensiones. Es bastante rápido y dispone de características tales como RSS soporte para anclar pestañas y un bloqueador de publicidad.
- Amaya, que además de ser un navegador Web es también una herramienta para la edición de páginas Web, tal como veremos más adelante en este libro. Permite navegar y editar una Web al mismo tiempo. Es una herramienta de código abierto.

Correo electrónico

El correo electrónico es uno de los servicios de Internet más importantes. Su función es la de permitir intercambiar mensajes entre usuarios de la Red de una manera rápida y sencilla. Un mensaje de correo electrónico o e-mail es un mensaje que se transmite entre dos usuarios a través de Internet, generalmente mediante un protocolo SMTP. Estos mensajes pueden transmitir tanto texto como todo tipo de documentos digitales.

Los orígenes del correo electrónico son anteriores a los de la propia red de Internet. En el año 1961, fue presentado en el Instituto Tecnológico de Massachusetts (MIT) una primitiva herramienta similar a la del correo electrónico que permitía compartir información entre ordenadores y almacenarla en archivos en el disco de cada equipo. En el año 1965 empezó el correo electrónico propiamente dicho y en el año 1966 ya se había extendido en distintas redes de ordenadores.

Para poder enviar y recibir un mensaje de correo electrónico, tanto el remitente como el destinatario deben disponer de una dirección de correo electrónico, proporcionada por un proveedor de correo. Dicho proveedor habitualmente suele ser el mismo proveedor de acceso a Internet (la compañía con la que el usuario contrata su acceso a la Red) o bien cualquiera de los servicios gratuitos de correo electrónico disponibles en Internet.

Una dirección de correo electrónico identifica de forma única a cada uno de los usuarios del servicio y su estructura genérica es la siguiente:

```
nombre_usuario@proveedor.dominio
```

donde `nombre_usuario` es el nombre o código que se asigna de forma única a un determinado usuario del proveedor de correo electrónico, `proveedor` es el nombre del proveedor del servicio y `dominio` es el nombre de identificación de la red a la que pertenece el proveedor.

Para crear y recibir mensajes de correo electrónico se puede utilizar un programa específico denominado "cliente de correo" en el ordenador o una interfaz Web a la que se accede a través de un navegador.

Clientes de correo y correo Web

Un cliente de correo es un programa que se utiliza para leer y enviar mensajes de correo electrónico. Para poder hacerlo, el usuario deberá disponer de una cuenta de correo electrónico, una dirección en la forma `nombre_usuario@proveedor.dominio` proporcionada generalmente por el propio proveedor de acceso a Internet. Para que un cliente de correo electrónico funcione correctamente, será necesario configurarlo introduciendo una serie de parámetros que proporcionará el propio proveedor de correo electrónico. Entre los más importantes de estos parámetros se encuentran:

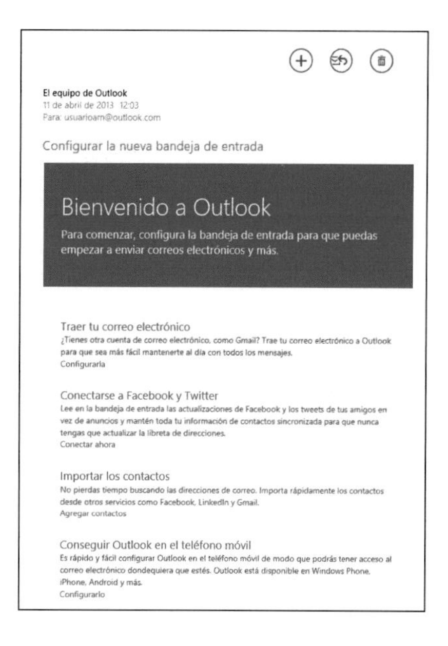

- Dirección de correo electrónico: en la forma `nombre_usuario@proveedor.dominio`.
- Tipo de cuenta del servidor de correo electrónico: generalmente POP3, IMAP o HTTP.
- Dirección del servidor de correo entrante: por ejemplo en la forma `pop3.proveedor.dominio`.
- Dirección del servidor de correo saliente: por ejemplo `smtp.proveedor.dominio`.
- Nombre de usuario y contraseña.

Algunos de los clientes de correo electrónico más conocidos del mercado son: Outlook, Mozilla Thunderbird o Eudora.

Generalmente, todos los proveedores de correo electrónico, además de permitir recibir y enviar mensajes mediante un cliente de correo, también ofrecen sus propias plataformas de correo Web desde las que acceder a dicho correo.

Aparte de ello, existen otros muchos servicios de correo electrónico gratuito, donde el usuario podrá crear cuentas de correo electrónico adicionales sin gasto alguno. Entre los más conocidos podríamos citar:

- Gmail: `http://mail.google.com/mail?hl=es`
- Hotmail: `http://www.hotmail.com`
- Correo Yahoo!: `http://mail.yahoo.es/`
- Terra: `https://correo.terra.es/correoseguro/logincorreo.htm`
- Topmail: `http://www.topmail.com/`
- Correo.nu: `http://www.correo.nu/`
- Desde Internet: `http://www.desdeinter.net/`

FTP

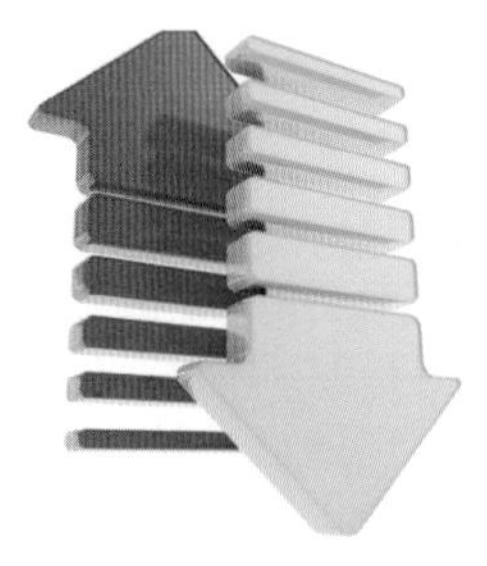

FTP son las siglas en inglés de *File Transfer Protocol* (protocolo de transferencia de archivos), un protocolo para la transferencia de archivos entre ordenadores conectados a una red TCP. Gracias a este servicio, desde un ordenador determinado, llamado cliente, se puede conectar con otro equipo debidamente acondicionado llamado ordenador servidor y descargar de él de manera directa archivos o bien enviarle archivos, independientemente de los sistemas operativos instalados en cada uno de estos equipos.

El servicio FTP está pensado para ofrecer una elevada velocidad en la transferencia de archivos, aunque adolece de una seguridad deficiente, ya que el único requisito de seguridad necesario para establecer una conexión FTP es la especificación de un nombre de usuario y una contraseña, sin que exista ningún tipo de cifrado.

En el año 1971 el Instituto Tecnológico de Massachusetts (MIT) planteó las primeras bases del protocolo FTP, que quedaría definitivamente establecido en 1985, en la forma en que se conoce aún hoy en día.

La comunicación entre el ordenador cliente y el ordenador servidor es independiente del sistema de archivos que se utilice en cada uno de los equipos (y por tanto, no importan que los sistemas operativos sean distintos en cada caso) y, además, la conexión que se establece es de carácter bidireccional, es decir, se pueden enviar y recibir datos en cada una de las partes de manera simultánea.

El servidor FTP es un ordenador donde se instala un programa especial que permite el intercambio de datos entre diferentes ordenadores o servidores.

Como cliente FTP se puede utilizar cualquier navegador Web con capacidad para el intercambio de datos o recurrir a programas específicos disponibles en el mercado.

FileZilla

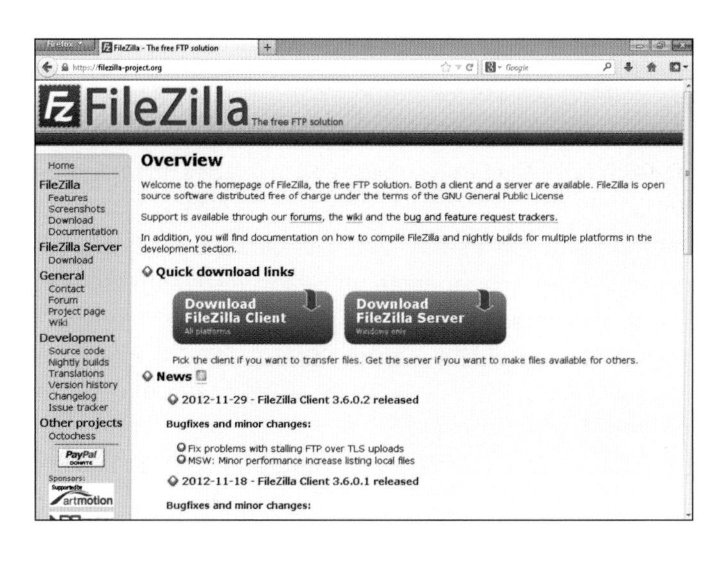

Existen numerosos clientes FTP tanto de pago como gratuitos. Un ejemplo de estos últimos es FileZilla, un programa rápido y flexible con una interfaz de uso intuitiva. Entre sus cualidades podemos citar su compatibilidad con FTP, FTPS y SFTP, su disponibilidad en distintas plataformas (Windows, Linux, Mac OSX) e idiomas, la capacidad de continuar transferencias cortadas y de transferir archivos de más de 4 GB o la configuración de sus límites de velocidad de descarga.

Puede descargar FileZilla en su portal de descargas de software habitual o a través de su Web en `http://filezilla-project.org/download.php?type=client` (en inglés). Para configurar los parámetros de conexión a un sitio FTP desde FileZilla:

1. Haga clic sobre el botón **Abrir el gestor de sitios** ( ) en el lateral izquierdo de la barra de herramientas del programa o ejecute el comando Archivo>Gestor de sitios.
2. En la ventana del Gestor de sitios, haga clic sobre el botón **Nuevo sitio**.
3. Escriba un nombre para el nuevo sitio y pulse la tecla **Intro**.
4. En la pestaña General, defina los parámetros de conexión del nuevo sitio: dirección del servidor y puerto, tipo de servidor, tipo de conexión, nombre de usuario contraseña, etc.
5. Haga clic sobre el botón **Aceptar** para cerrar la ventana o sobre **Conectar** para iniciar automáticamente una conexión al sitio especificado.

Para conectar en cualquier momento a una cuenta FTP configurada en FileZilla:

1. Vaya a la ventana Gestor de sitios, seleccione el nombre del sitio con el que desea conectar y haga clic sobre el botón **Conectar**.

Para iniciar una transferencia de datos entre el ordenador local y un servidor FTP:

1. Localice los archivos a transferir y la carpeta de destino para dichos archivos mediante los paneles Sitio local y Sitio remoto.
2. Seleccione el archivo o grupo de archivos a transferir y arrástrelo hacia el otro panel (del panel Sitio local al panel Sitio remoto o viceversa).

Buscadores

En marzo de 2013, se estimaba que existían unos 644 millones de sitios Web con, literalmente, miles de millones de páginas y siguiendo un crecimiento exponencial año a año.
Lógicamente, para encontrar algo de utilidad entre este ingente número de posibilidades, es necesario contar con alguna herramienta que permita discriminar de alguna manera entre todas estas páginas en busca de aquellas que se ajusten a nuestras necesidades. Este tipo de herramientas se denominan buscadores.
Existen numerosos buscadores en Internet, páginas o sitios Web específicos donde introduciendo un término o criterio de búsqueda específico, aparece un listado resultante con una serie de páginas Web que se ajustan a dichos criterios de búsqueda.
De manera genérica, estos buscadores se pueden clasificar en dos tipos:

- Índices temáticos: sistemas de búsqueda organizados de manera jerárquica o por categorías. Son bases de datos de páginas Web elaboradas de forma manual, con personas que asignan cada página a una categoría determinada.
- Motores de búsqueda: sistemas automatizados que se organizan por palabras clave. Son gigantescas bases de datos que van incorporando páginas Web de manera automática a través de "robots" o "spiders" que realizan búsquedas a través de Internet.

Los motores de búsqueda conocidos como arañas o *spiders* recorren la Web recopilando información sobre las páginas y sus contenidos. Dicha información se almacena en una base de datos que se puede consultar a través de la interfaz del buscador. En este, aparecen los resultados disponibles organizados por orden de importancia. También es posible pagar para que una determinada página Web aparezca cerca de los primeros lugares al realizar una búsqueda en un motor de búsqueda, lo que se conoce con el nombre de resultados patrocinados.
Algunos de los motores de búsqueda más conocidos son Google, Bing y Hotbot. Algunos de los motores de búsqueda y directorios temáticos más conocidos en español son:

- Alta Vista España (`http://es.altavista.com/`)
- Bing España (`http://www.bing.com/?cc=es`)
- Excite (`http://www.excite.es/`)
- Google en español (`http://www.google.es/`)
- HispaVista (`http://www.hispavista.com/`)
- Lycos (`http://www.lycos.es/`)
- Ozu.es (`http://ozu.es/`)
- Trovator (`http://www.trovator.com/`)
- Yahoo! en español (`http://espanol.yahoo.com/`)

Google

Google es probablemente el buscador más importante de nuestros tiempos. Sus capacidades no se limitan a la localización de páginas Web mediante términos o criterios de búsqueda, sino que incluye también una amplia variedad de herramientas imprescindibles en Internet que se amplían continuamente. Puede acceder a la versión en español de Google en la dirección `http://www.google.es/`.

En la barra de herramientas del borde superior de la pantalla (bajo el cuadro de dirección), encontramos un acceso directo a las principales herramientas del mundo Google tales como:

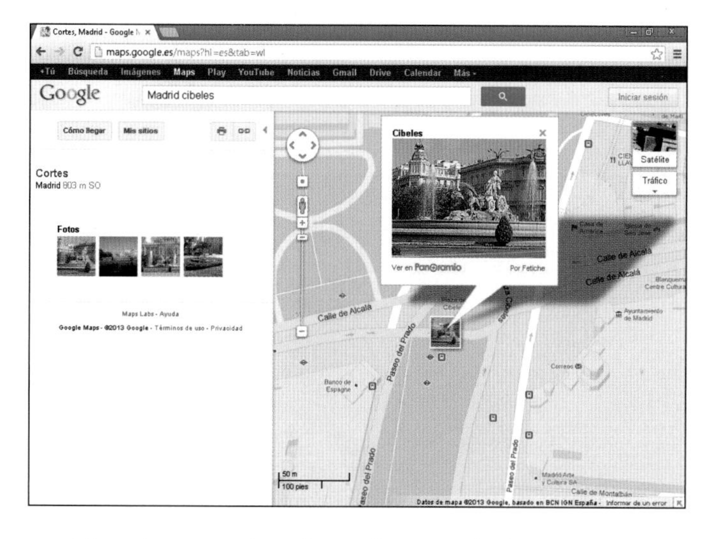

- **+Tu:** la red social Google +
- **Búsqueda:** para buscar en la Web. Escriba el término de búsqueda en el cuadro de texto central de la ventana y pulse la tecla **Intro** o haga clic sobre los botones **Buscar con Google** o **Voy a tener suerte**.
- **Imágenes:** permite realizar búsquedas de imágenes.
- **Maps:** permite realizar búsquedas geográficas en cualquier punto del planeta
- **Play:** descarga de música, libros, películas y aplicaciones para dispositivos móviles Android.
- **Youtube:** búsqueda en el repositorio de vídeos más famoso del planeta.
- **Noticias:** selección de noticias recopiladas por el equipo de Google.
- **Gmail:** acceso a nuestra cuenta de correo electrónico Gmail.
- **Más:** un menú que nos muestra otras muchas opciones disponibles en Google como **Drive** (para gestionar nuestros *backup* o copias de seguridad, **Calendar**, un completo calendario, **Traductor**, una asombrosa herramienta de traducción, etc.

Blogs

Un *blog* o bitácora (como "cuaderno de bitácora") es un sitio Web donde se recopila información generalmente monográfica procedente de uno o varios autores. Dicha información se actualiza con cierta periodicidad y se organiza de manera cronológica, mostrándose el último artículo publicado en primer lugar.

Cualquier artículo de un *blog* puede ser objeto de discusión, donde los lectores publican sus opiniones al respecto y el autor da su réplica estableciéndose de esta manera un diálogo diferido.

Antes de la aparición de los *blogs* en el panorama de Internet, ya existían otras herramientas con objetivos similares, tales como USENET o las listas de correos. En la década de los 90, se desarrollaron las primeras herramientas para la creación de foros en Internet, como por ejemplo WebEx.

Los primeros blogs empezaron a popularizarse en Estados Unidos en el año 2001 y, a partir de entonces, el fenómeno del *blogging* empezó a popularizarse entre los internautas. A día de hoy se trata de uno de los servicios más difundidos en Internet. Numerosos personajes de todos los ámbitos de la vida pública mantienen sus propios *blogs* que son seguidos por cientos de miles de aficionados.

Hoy en día, existen numerosas herramientas en el mercado que ponen al alcance de cualquier usuario la posibilidad de crear y mantener fácilmente sus propios *blogs*. De manera genérica, podemos clasificar estas herramientas en dos categorías diferentes: las que ofrecen soluciones integrales que incluyen alojamiento gratuito (como por ejemplo Blogger, LiveJournal o Freewebs) o las que están formadas por un paquete de software que se instala en un servidor (como WordPress). En ambos casos, suele tratarse de herramientas de carácter gratuito.

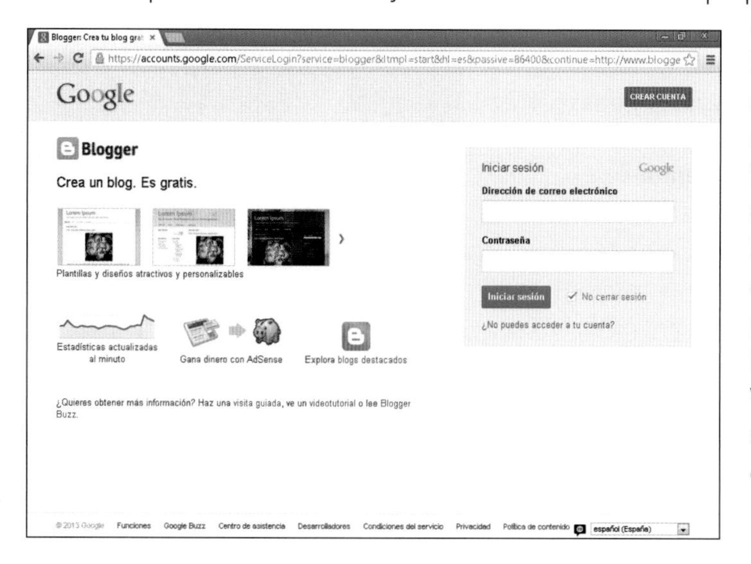

Aparte de texto, un *blog* puede contener otro tipo de elementos multimedia como por ejemplo fotografías o vídeos. También es muy común que los *blogs* contengan enlaces a otras páginas o sitios Web con información complementaria, además de enlaces para acceder directamente a un formulario donde añadir comentarios a cualquier entrada, enlaces a los perfiles de los seguidores y contribuyentes del *blog*, enlaces para acceder a las entradas anteriores y posteriores a la página actualmente seleccionada del blog y enlaces para la suscripción a distintos orígenes de datos como RSS o Atom, etcétera.

Un aspecto importante que diferencia a los *blogs* de otros servicios de Internet es su carácter interactivo y colaborativo entre distintos usuarios y la frecuencia con la que se actualizan sus contenidos. Sin embargo, existen algunos riesgos potenciales que pueden poner en peligro el correcto funcionamiento de un blog, como son el *spam* (mensajes o entradas no solicitadas) los *troles* (personas que buscan provocar para crear controversia) los *leechers* (usuarios que intentan aprovecharse de los demás sin proporcionar ningún aporte de valía) y los *fake* (usuarios que se hacen pasar por otras personas).

Otras variedades del *blog* tradicional son los *fotologs* o *fotoblogs* (que incluyen fotografías), los *videoblogs* o *vlogs* (con vídeos), los *audioblogs* (con audio) y los *moblogs* (blogs específicos para telefonía móvil).

P2P

P2P es la abreviatura que se utiliza para identificar las redes llamadas de pares, entre iguales o punto a punto (*peer to peer*). A diferencia de otras redes y servicios estudiados hasta el momento, una red P2P funciona de manera que ninguno de los ordenadores que la componen es cliente ni servidor, sino que todos ellos se comportan como iguales (o lo que es lo mismo, actúan de manera simultánea como clientes y servidores frente a los restantes equipos de la red). El objetivo de una red P2P es permitir el intercambio directo de información entre dos ordenadores cualesquiera.

Además, este tipo de redes se caracteriza por la optimización del ancho de banda de las conexiones, consiguiendo de esta manera un mejor rendimiento en las transferencias de archivos que con otros mecanismos centralizados tradicionales donde el ancho de banda depende principalmente de la capacidad disponible en el servidor.

Habitualmente las redes P2P se utilizan para compartir archivos (audio, vídeo, software) entre usuarios, aunque también tiene su aplicación en telefonía VoIP y sirven para mejorar la eficiencia de la transmisión de datos en tiempo real.

Algunas de las principales redes P2P más conocidas en Internet son Ares, BitTorrent, eDonkey, GNUnet, Gnutella, Kad, Napster, P2PTV, Usenet o WPNP.

Gestores de descarga

Para interactuar con las redes P2P, se han desarrollado una serie de aplicaciones o *clientes* P2P que se encargan de gestionar todas las operaciones necesarias para la conexión a dichas redes y el intercambio de información dentro de ellas. En muchas ocasiones, estos programas son compatibles con más de una red al mismo tiempo. Algunos de los programas más conocidos del mercado son: Ares Galaxy, BitComet, BitTornado, eDonkey2000, eMule, GNUnet, Kazaa, Morpheus u Opera.

Para la transmisión de archivos también se han desarrollado programas conocidos como gestores de descarga, aplicaciones diseñadas para descargar archivos de Internet con capacidad para ir deteniendo y reanudando la descarga según las necesidades del usuario. Este tipo de herramientas resulta de gran utilidad sobre todo en la descarga de archivos de grandes dimensiones, como por ejemplo archivos de vídeo o imágenes ISO de CD o DVD. Algunos gestores de descarga se pueden configurar incluso para la descarga de sitios Web completos. Algunos de los gestores de descarga más conocidos del mercado son: Mipony, JDownloader, FlashGet, Free Download Manager, Download Accelerator, QuickDownloader, GoZilla, GetRight y otros muchos más. Asociado a este tipo de aplicaciones, nos encontramos a menudo con algunas empresas especializadas en el alojamiento masivo de archivos tales como MediaFire, Rapidshare o Gigasize.

Redes sociales

De forma genérica, una red social es cualquier estructura social compuesta por un grupo de individuos conectados mediante diferentes tipos de relaciones como relaciones de amistad o parentesco en algún grado o bien que se mueven por intereses comunes o comparten algún tipo de conocimiento en común.

Internet ha adoptado esta idea para, aprovechando las posibilidades que ofrece este recurso para romper las barreras de la distancia, desarrollar toda una plétora de redes sociales gracias a las cuales hoy más que nunca es posible mantenernos en estrecho contacto con nuestros familiares y amigos o fomentar nuestras relaciones laborales o comerciales.

Algunas de las redes sociales con más difusión hoy en día en Internet son las siguientes:

- Facebook (`http://es-es.facebook.com/`): es una red social de carácter gratuito que surgió en su origen para mantener en contacto a los estudiantes de la Universidad de Hardvard y que hoy en día está abierta a cualquier usuario de Internet. Dentro de esta aplicación es posible participar en diferentes redes sociales, atendiendo a distintos criterios geográficos, culturales o económicos. Esta red se caracteriza por permitir el desarrollo de aplicaciones de terceros como plataformas de negocio, aunque sus resultados económicos se han puesto en entredicho.
- Twitter (`http://twitter.com/`): es una red social basada en el concepto de *micro-blog*, la publicación de entradas de texto en miniatura (limitadas a un máximo de 140 caracteres o *tweets*). Estas publicaciones se pueden realizar tanto desde el propio sitio Web de Twitter como desde otros servicios de telefonía móvil (mensajes SMS), con herramientas de mensajería instantánea o empleando cualquiera de las numerosas herramientas de terceros disponibles para tal propósito.

- Google + (`plus.google.com`): es la red social promovida por el gigante Google. En realidad, es una combinación de diferentes tipos de servicios, incluyendo video-chat y mensajes en grupo que abarca varias facetas de nuestras relaciones e interacciones en la Web. Como en otras aplicaciones similares, tendremos que crear un perfil personal desde el que podremos compartir enlaces, nuestros pensamientos, fotos o vídeos.

- YouTube (`http://www.youtube.com/`): es la mayor comunidad mundial para compartir vídeos. Su popularidad es debida en gran medida a la posibilidad de alojar en esta red vídeos personales de manera muy sencilla. También cabe destacar su reproductor en línea basado en Adobe Flash que permite reproducir cualquiera de los vídeos disponibles en la red.

- MySpace (`http://es.myspace.com/`): está constituida por redes de amigos, grupos, blogs, fotos, vídeos y música. Incluye además un sistema de mensajería interna para la comunicación entre usuarios.

- Sonico (`http://www.sonico.com/`): es una red gratuita orientada al público latinoamericano. Los usuarios de esta red pueden compartir fotos y vídeos de YouTube, organizar eventos y utilizar diferentes juegos e interactuar con otros usuarios a través de un sistema de mensajería.
- Tuenti (`http://www.tuenti.com/`): es una red social a la que se accede solamente mediante invitación y que está enfocada principalmente a usuarios residentes en España. A través de esta red se pueden compartir fotos y vídeos y entrar en contacto con otros usuarios de la misma. Incluye la posibilidad de utilizar juegos y un servicio tradicional de chat, que recientemente se ha ampliado con un servicio de videochat.

- Hi5 (`http://www.hi5.com`): ésta es una comunidad virtual en su gran mayoría centralizada en América Latina cuyo objetivo es encontrar amigos y conocer gente de todo el mundo con perfiles y aficiones similares a las nuestras. Durante el proceso de registro cada usuario deberá especificar en su perfil diversos fragmentos de información personal (edad, estado civil, religión, ciudad de nacimiento) y sobre sus aficiones (música, películas y libros favoritos, programas de televisión, etcétera).

Capítulo 2

Diseño Web

Conceptos básicos

Cuando escuche a cualquier experto hacer referencia al término *sitio Web*, sepa que en realidad se está refiriendo a un conjunto de archivos que pueden ser de texto (como por ejemplo las propias páginas Web), como gráficos, de audio, vídeo, etc. Todos estos elementos se unifican y dan forma mediante un lenguaje de etiquetado que se denomina en su forma más básica HTML.

Este lenguaje ha ido evolucionando a lo largo del tiempo y ya nadie habla de HTML simplemente, sino de sus versiones más punteras como HTML5 o su versión extendida, XHTML. Sea como sea, mediante este lenguaje se crean las llamadas *páginas Web*, que son archivos de texto a los que se les asocia la extensión `.htm` o `.html`. Estas páginas se almacenan en unos ordenadores especiales conocidos como *servidores Web*, que se encuentran conectados de manera permanente a Internet y disponen de un software y un hardware especiales que les permite establecer comunicación con un usuario de Internet cuando éste (o su navegador Web) solicita una página que se encuentra almacenada en sus unidades de disco.

Una de las principales ventajas del lenguaje de etiquetado HTML5 es que permite mostrar varios archivos de forma simultánea, texto, vídeo, gráficos, etc. y, además, cuenta con la posibilidad de crear lo que se conoce como enlaces o *hipervínculos*, que son los encargados de conectar diferentes páginas Web entre sí o una página Web con un archivo determinado. Esto significa que es posible realizar un salto casi inmediato de una página Web alojada en un ordenador en España a otra, por ejemplo, almacenada en el otro extremo del planeta en un servidor de Nueva Zelanda.

Como mencionamos anteriormente, el acceso a las páginas Web de un sitio Web se realiza a través de un explorador o navegador Web, que es una herramienta de software que instalamos en nuestro ordenador y que se encarga de presentarnos toda la información correspondiente en un formato que comprendamos fácilmente.

Recuerde los términos fundamentales para comprender cómo funciona el diseño Web:

- **Sitio Web** es un conjunto de archivos.
- **Página Web** es un archivo en formato de texto escrito en un lenguaje como HTML5 o XHTML.
- **Hipervínculo** es un objeto que se utiliza para enlazar archivos, ya sea diferentes páginas Web o una página Web con un archivo.
- **Servidor Web** es un ordenador conectado constantemente a Internet con un software y un hardware específicos para que los usuarios de la Web puedan consultar las páginas Web y los archivos que se encuentran almacenados en sus discos.

Programación Web

A medida que la Web ha ido evolucionando, se han ido desarrollando también nuevos lenguajes de programación que fundamentalmente han estado orientados a permitir una mayor interacción con los sitios Web, a facilitar una navegación más rápida y a mostrar mayor diversidad de contenidos al usuario. Así por ejemplo, surge la creación de lo que se conoce como páginas Web dinámicas, es decir, páginas cuyo contenido no es fijo, estático, sino que cambia según las necesidades o deseos del usuario. Entre los lenguajes para construir este tipo de páginas podríamos citar asp y php, que básicamente recopilan la información solicitada por un usuario, realizan una búsqueda en una base de datos y confeccionan de manera instantánea una página Web con los resultados obtenidos.

Entre los tipos de bases de datos más utilizados en la Web se encuentran MySQL (herramienta de código abierto), Oracle, Informix o Microsoft SQL:

Otros componentes fundamentales en la evolución de la Web son CSS (actualmente en su versión 3) que tiene como objetivo realizar una separación del contenido y el formato de las páginas Web o DHTML (HTML dinámico), que persigue la consecución de páginas Web con una mayor interactividad con el usuario. Éstos, suelen trabajar en conjunción con Javascript, un lenguaje más especializado que nos permite realizar tareas tales como mostrar la fecha y la hora actuales en una página Web, hacer que un texto se desplace por la pantalla y mucho más.

Últimamente en desuso, Flash, es una herramienta que se ha utilizado en la Web para la realización de animaciones con audio, texto, imágenes, etc.

También en decadencia, nos encontramos con Java, un lenguaje que sirve para crear archivos ejecutables que se instalan en el ordenador del usuario y que sirven para realizar diferentes tareas, tales como mostrar animaciones u ofrecer utilidades como calculadoras, juegos, etc.

Resumiendo, los principales lenguajes de programación que encontraremos en la Web son:

- **ASP/PHP:** para crear páginas Web dinámicas.
- **MySQL, Oracle, Informix y Microsoft SQL:** como bases de datos.
- **DHTML/CSS:** para mejorar la interactividad de las páginas Web y separar su contenido de su formato.
- **Javascript:** un lenguaje de programación completo para realizar casi cualquier tarea que se pueda imaginar en una página Web.
- **Flash:** para animaciones en la Web.
- **Java:** un lenguaje de programación que genera ejecutables que se almacenan en el ordenador del usuario.

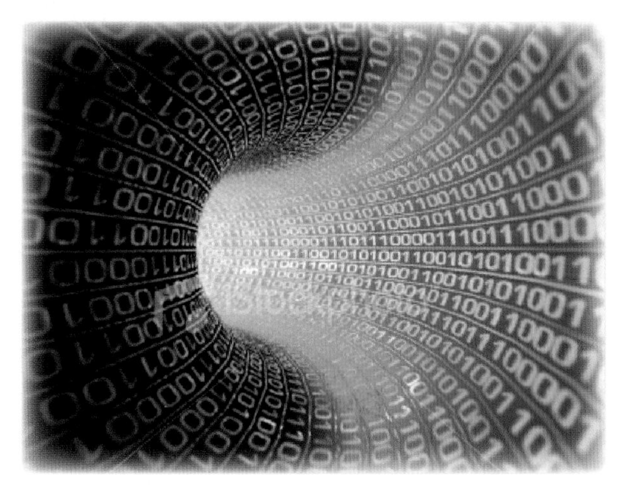

Tipografía

Si bien el diseño Web sigue básicamente sus propias reglas en cierto modo independientes de otras disciplinas del diseño gráfico, en lo tocante a las tipografías, fuentes o tipos de letra, se ciñe a la regla principal de que todo el contenido debe ser suficientemente legible. Esta es sin duda una regla de oro en cualquier tipo de diseño ya que, si algo no se puede leer, carece de todo tipo de utilidad.
Básicamente, en el diseño Web definiremos dos tipos o grupos diferenciados de textos, los títulos y el cuerpo de texto o mensaje que deseamos transmitir.
En el primero de los casos, será conveniente que utilicemos un tipo de letra grueso y bien detallado. Deberíamos buscar que las tipografías seleccionadas para nuestros títulos concuerden a la perfección con el diseño global de nuestras páginas Web. También tendremos que prestar especial atención al color, ya que en el caso de los títulos, tiene una componente de significado de gran importancia.
Para el cuerpo de texto emplearemos tipografías conocidas como "sin Serifa" (por ejemplo, Arial o Verdana), es decir, tipos de letra carentes de cuñas, salientes y rebordes que sirven para adornar las letras en otras tipografías (como Times New Roman). El tipo de letra con el que está escrito el cuerpo de texto de este libro es Avenir, un tipo de letra "sin Serifa". Un ejemplo de tipo de letra "con Serifa" sería el siguiente: Times New Roman.
Las tipografías lisas se leen mucho mejor en la pantalla del ordenador gracias a sus formas más rectas. Por el contrario, las tipografías "con Serifa" tienen muchos detalles que, a tamaños pequeños, son difíciles de distinguir en una pantalla, no así sobre el papel escrito.

De la mano de la tecnología Flash, surgieron las tipografías conocidas como Pixel Fonts, unos tipos de letra especialmente diseñados para verse bien con un determinado tamaño que encaja con el tamaño de los píxeles de un monitor. Estas fuentes han tenido gran aceptación y es recomendable utilizarlas para el desarrollo de animaciones Flash, ya que hacen que los textos resulten muy legibles.

Color

Algunas de las consideraciones que debería tener en cuenta a la hora de elegir los colores de su sitio Web son las siguientes:

- **Expansión.** Es recomendable utilizar un fondo claro en nuestras páginas Web, debido al carácter expansivo de los colores. Un texto sobre fondo claro es más legible y el lector se encontrará más cómodo con su lectura y no tendrá que forzar la vista.
- **Armonía.** Cree una gama de colores para su sitio Web que esté compuesto por colores de la misma gama o tono.
- **Contraste.** Combine diferentes colores para crear contraste, utilizando claros y oscuros, tonos cálidos y fríos, etc.
- Significado de los colores. Cada color tiene un significado que, aunque varía ligeramente de unas culturas a otras, generalmente es reconocido por el tipo de sentimiento o emoción que transmite. Algunos ejemplos son:
  - **Blanco.** Potencia los colores que le rodean. Expresa paz, luz, felicidad, actividad, pureza e inocencia.
  - **Negro.** Simboliza silencio, misterio y. a veces, lo impuro y maligno. Cuando tiene tonos brillantes confiere nobleza y elegancia.
  - **Gris.** Simboliza indecisión, ausencia de energía, duda y melancolía. Si se trata de colores metálicos hacen que una imagen sea lustrosa, dan impresión de frialdad y de brillantez, de lujo y elegancia.
  - **Amarillo.** Es un color luminoso, cálido, ardiente. Es el color del sol, la luz y el oro. Es animado, jovial, excitante, afectivo e impulsivo.
  - **Naranja.** Es fuerte, activo y radiante. Tiene un carácter acogedor, cálido, estimulante y una cualidad dinámica muy positiva y enérgica.
  - **Rojo.** Tiene vitalidad, expresa pasión y la fuerza bruta del fuego. Está ligado a la vida, expresa sensualidad, virilidad y energía, es exultante y agresivo. Simboliza pasión ardiente, sexualidad y erotismo.
  - **Azul.** Indica profundidad, frío. Expresa cierta sensación de placidez distinta al de las tonalidades verdes. Expresa armonía, fidelidad, serenidad, sosiego y sugiere optimismo. No obstante, cuando más claro se hace pierde atracción y se vuelve indiferente.
  - **Violeta.** Es el color de la templanza, la lucidez y la reflexión. Místico, melancólico e introvertido.
  - **Verde.** Color tranquilo y sedante. Evoca la vegetación y el frescor de la naturaleza.
  - **Marrón.** Se trata de un color masculino, severo y confortable. Evoca ambientes otoñales y transmite una impresión de grave3dad y equilibrio. Es un color realista que representa la tierra que pisamos.

Composición

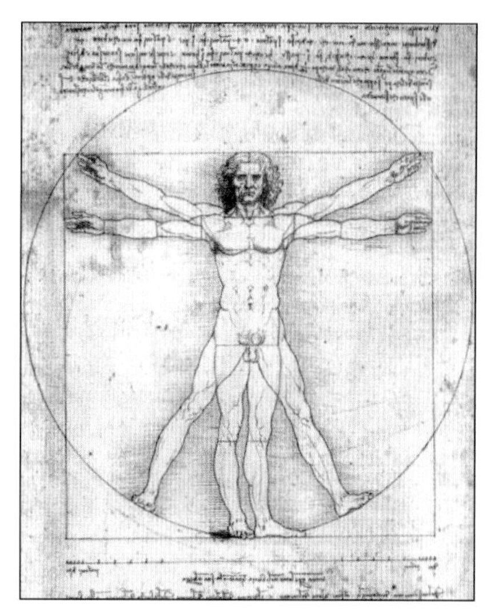

Es importante que pensemos en la forma en que vamos a estructurar nuestra Web, qué colores vamos a utilizar en cada sitio y por qué, cómo vamos a espaciar nuestros textos, etc.

El texto no debería estar demasiado pegado a los elementos gráficos, ni tampoco tener un interlineado bajo, es decir, pegar demasiado unas líneas a otro. En caso contrario, el texto se volverá confuso para su lectura.

El espaciado entre líneas debería ser igual o superior a un 20 por ciento del tamaño de letra. Es decir, para una letra de un tamaño de 10 puntos, el interlineado debería ser de 12 puntos.

La posición de los elementos que componen nuestra página es uno de los aspectos más importantes a la hora de llevar a cabo un diseño. No es lo mismo ubicar una imagen arriba o abajo, con un texto al lado o sin él, que tenga un tamaño grande o pequeño, y un largo etcétera.

Una imagen grande servirá para mostrar algún aspecto de nuestra página Web que deseemos destacar. Luego, podremos añadir imágenes pequeñas para embellecer y dotar de detalles las partes que tienen más texto.

La colocación de imágenes pequeñas cerca del texto cumple dos funciones: que el usuario tenga una información visual de lo que va a leer, atrayendo su atención hacia donde nosotros queramos y hacer más atractiva la página. Cualquier usuario se amedrentará ante una página llena de texto y el resultado será, con toda seguridad, que cambie de página o incluso de sitio Web.

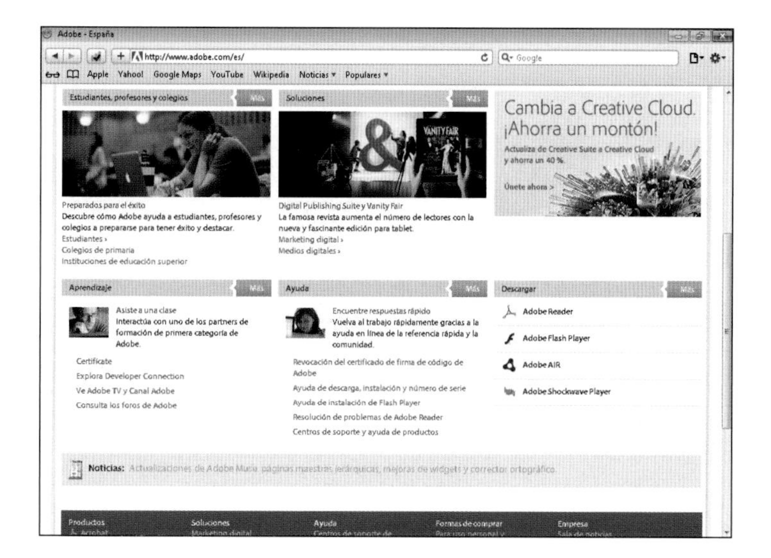

Otras consideraciones

El éxito del diseño de un sitio Web dependerá en gran medida de nuestra pericia a la hora de manejar los criterios artísticos y estéticos genéricos de cualquier disciplina del diseño y específicos del medio concreto en el que deseamos transmitir nuestras ideas, la Web.
Aparte de lo ya mencionado, algunas consideraciones adicionales para el diseño de nuestros sitios Web serían las siguientes:

- **El peso de las páginas.** Debemos mantener limitado el peso (tamaño de los archivos) de nuestras páginas Web para que su carga no resulte demasiado lenta. ¿Cuál es el tamaño adecuado? Haga pruebas y depure su material hasta que su tiempo de carga sea el menor posible. Un usuario no esperará 30 segundos hasta que aparezca la información de una página. Realice sus pruebas con la conexión más lenta que pueda.
- **Tratamiento de imágenes.** Para no aumentar artificialmente el tamaño de nuestras páginas, debemos realizar un tratamiento previo a nuestras imágenes para reducir al máximo su tamaño manteniendo a la vez una calidad aceptable. Trataremos este tema con mayor detenimiento más adelante en este libro.
- **Consistencia.** Debemos lograr que nuestros sitios Web en su globalidad presenten una coherencia y un aspecto que le confiera un carácter distintivo. En esta labor, nos ayudará la utilización de hojas de estilo CSS3, de las que hablaremos más adelante en este libro. Para mantener la consistencia en un sitio Web tenga en cuenta la utilización de gráficos del mismo estilo en sus páginas, fondos y colores uniformes, familias de fuentes que representen los distintos tipos de texto que utilizaremos en cada página, enlaces y barras de navegación que tengan el mismo aspecto y se sitúen en los mismos lugares, etc.

Internet móvil

Hoy en día, Internet ha superado sus propias fronteras. Internet móvil significa que ahora tenemos acceso a la información almacenada en cualquier punto del mundo independientemente de dónde nos encontremos. Ya no estamos limitados a estar sentados delante de nuestro ordenador de sobremesa. Los dispositivos móviles nos permiten llevar encima Internet a donde quiera que vayamos.

En enero de 2010, el porcentaje de acceso a Internet desde dispositivos móviles, apenas alcanzaba un 1,7 por ciento. En enero de 2011 este porcentaje era ya del 4,3 por ciento y en sólo un mes se duplicó alcanzando el 8,5 por ciento.

En octubre de 2012 los dispositivos móviles ya se habían convertido en el medio más habitual para acceder a Internet, utilizado a diario por un 69 por ciento de los usuarios según informes del Mobile Web Watch de 2012. Según este estudio, la distribución del uso de Internet desde los principales dispositivos móviles era la siguiente:

- Teléfonos inteligentes o *smartphones*: 61 por ciento.
- Ordenadores portátiles: 37 por ciento.
- Tabletas o *tablet*: 22 por ciento.

Las economías emergentes (como Brasil, Sudáfrica o Rusia), se encuentran a la cabeza del uso de dispositivos móviles, representando más de un 70 por ciento de media. El acceso a Internet desde teléfonos móviles también ha crecido en las economías europeas avanzadas. En Alemania, por ejemplo, se ha triplicado desde el año 2010 al 2012, pasando de un 17 por ciento a un 51 por ciento.

Estos datos ponen de manifiesto la necesidad de que nuestros diseños Web tengan en cuenta esta nueva diversidad de dispositivos desde los que es posible acceder a nuestras páginas Web. El tamaño del monitor de un PC o de la pantalla de un ordenador portátil dista mucho del de una *tablet* estándar y, no digamos del de la pantalla de un teléfono móvil.

De esta diversidad surge el concepto de *diseño Web adaptativo*, que se traduce en un diseño Web enfocado a la construcción des sitios Web que proporcionan una experiencia óptima (facilidad de lectura y de navegación) a lo largo de una amplia gama de dispositivos. Este será el tema de las dos siguientes secciones.

Elementos del diseño Web adaptativo

Un sitio Web construido bajo los criterios del diseño Web adaptativo utiliza consultas *media* de CSS3, una extensión de la regla `@media` para adaptar el diseño al entorno en el que se visualizan las páginas, junto con la utilización de cuadrículas fluidas basadas en proporciones e imágenes flexibles:

- Las consultas *media* de CSS3 permiten que la página utilice diferentes reglas de estilo CSS basadas en las características del dispositivo en el que se está mostrando el sitio Web, principalmente, en la anchura del navegador.
- El concepto de cuadrícula fluida hace que el tamaño de los elementos de la página se exprese en unidades relativas, como porcentajes o puntos em, en lugar de unidades absolutas como píxeles o puntos.
- Las imágenes flexibles también se redimensionan con unidades relativas (hasta un máximo del 100 por ciento), evitando de esta manera que se extiendan fuera del elemento que las contiene.

Otras características que debe seguir cualquier diseño Web adaptativo son las siguientes:

- Seguir las estrategias "primero los dispositivos móviles", "Javascript discreto" y "Mejoras progresivas". Los navegadores de los teléfonos móviles más básicos no interpretan JavaScript ni las consultas *media*, de forma que lo recomendable es empezar por crear un sitio Web básico, mejorarlo a continuación para *smartphones* y finalmente alcanzar el diseño para PC (en lugar de crear desde el principio un diseño complejo e ir degradándolo paulatinamente hasta adaptarlo a los teléfonos móviles más básicos.
- Mejoras progresivas basadas en el navegador, el dispositivo o la detección de características. Cuando un sitio Web debe soportar los dispositivos móviles más básicos que no disponen de Javascript, la detección del navegador (agente de usuario) y la detección de dispositivos móviles, son dos de las formas de deducir si determinadas características HTML y CSS serán soportadas (como base de un método progresivo de mejora). Sin embargo, estos métodos no son totalmente fiables.

Para un ejemplo de cómo se adapta un diseño Web distintos dispositivos y tamaños, visite la dirección `http://finecitizens.com/define/responsive/`.

Objetivos y otros enfoques

Ethan Marcotte acuñó el término "diseño Web adaptativo" en mayo de 2010 en uno de sus artículos en *A List Apart*. Describió la teoría y la práctica del diseño Web adaptativo en un pequeño libro publicado en 2011 llamado *Responsive Web Design*. El diseño Web adaptativo alcanzó en 2012 el número 2 en el ranking de tendencias para el diseño Web de la revista *.net* y más tarde coronó esta lista llegando al número 1. También publicaron una lista de los 20 sitios Web adaptativos preferidos de Ethan Marcotte.

Luke Wroblewski resumió algunos de los objetivos del diseño adaptativo y del diseño móvil y creó un catálogo de patrones de diseño adaptables a distintos dispositivos. También sugirió que, en comparación con un enfoque de diseño adaptativo simple, el enfoque del diseño Web adaptativo con componentes en el lado del servidor puede proporcionar una experiencia de usuario que se encuentre mejor optimizada para los dispositivos móviles. La implementación "CSS dinámica" en el lado del servidor de lenguajes de hojas de estilo del tipo de Sass puede formar parte de este tipo de enfoque.

Uno de los problemas del diseño adaptativo es quela publicidad mediante *banner* y los vídeos no son elementos fluidos. El diseñador debería buscar un soporte para la presentación de *banner* y publicidad específico para la plataforma del dispositivo y diferentes tamaños de publicidad para navegadores de escritorio, *Smartphone* y dispositivos móviles básicos. Se puede utilizar una orientación de las páginas URL diferente para distintas plataformas o emplear AJAX para mostrar diferentes anuncios según las variaciones de una página.

Hoy en día hay numerosas formas de validar y probar diseños adaptativos que van desde validadores de sitios móviles y emuladores de dispositivos móviles a herramientas de pruebas simultáneas tales como Adobe Edge Inspect. El navegador Firefox y la consola de Chrome ofrecen herramientas de redimensionamiento de diseños adaptativos, al igual que lo hacen otras herramientas de terceros.

Diseño Web sensible

Como ya hemos mencionado, en la actualidad los diseños Web deben adaptarse a diferentes dispositivos con diferentes formatos de presentación de sus páginas (teléfonos móviles o *smartphones*, tabletas o *tablets*, ordenadores portátiles, ordenadores de sobremesa...). Por esta razón, es necesario desarrollar herramientas que eviten que los diseñadores tengan que realizar un diseño diferente para cada dispositivo, de manera que un mismo diseño único se adapte perfectamente (mediante técnicas específicas de diseño y programación) a todos los dispositivos de manera simultánea.

Diseñar un sitio Web diferente para cada plataforma, no sólo conllevaría un desperdicio excesivo de tiempo para el diseñador, sino que incurriría en unos costes prohibitivos para el proyecto de desarrollo de un sitio Web. Un diseño Web sensible eliminará todos estos problemas ofreciendo una nueva capacidad de responder con un diseño adaptado a cada tamaño específico del dispositivo que se utilice: un diseño único que se adapte perfectamente a todos los posibles dispositivos. Esta tendencia hará mucho más sencilla la vida de todos los diseñadores.

Tipografías de diseño

Hasta ahora, las imágenes eran las protagonistas en cualquier diseño Web, pero las nuevas tendencias indican que la forma de los texto irá adquiriendo cada vez mayor relevancia. Los diseñadores cuentan en la actualidad con una enorme cantidad de opciones a la hora de elegir sus tipografías. De esta manera, se intentará realzar la belleza de los sitios Web con una escritura hermosa.

La elección de la tipografía ya no es una decisión de menor importancia a la hora de establecer los parámetros para el diseño de nuestros sitios Web. La adopción de una tipografía de moda se ha tornado en un aspecto de gran importancia. Este año será el año de la tipografía, ya que se le dará mucha importancia. De hecho, la tipografía se convertirá en una parte integral del diseño de cualquier sitio Web. Los diseñadores ya no reemplazarán el texto con imágenes hermosas y tratarán de realzar la belleza de sus sitios Web mediante sus tipografías. Ahora, las tipografías se consideran la base de cualquier sitio Web.

Algunos recursos gratuitos para obtener tipografías para nuestras Web son:

- Dafont.com (`http://www.dafont.com/es/`). Miles de tipografías gratuitas.
- Tipografías.org (`http://www.tipografias.org/`). Fuentes gratuitas
- Fontstoc.net (`http://www.fontstock.net/`). Tipografías gratis. En inglés.
- 101 Free Fonts (`http://www.1001freefonts.com/`). Tipografías gratis para Windows y para Mac.
- Creamundo.com (`http://www.creamundo.com/`). Un sitio Web que recopila tipografías gratuitas de otros sitios de la Red.

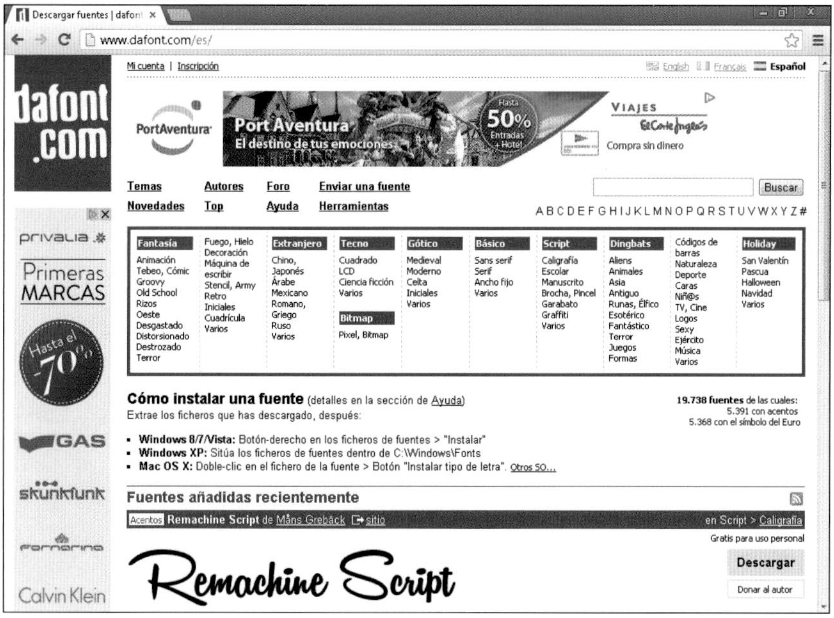

Elementos grandes

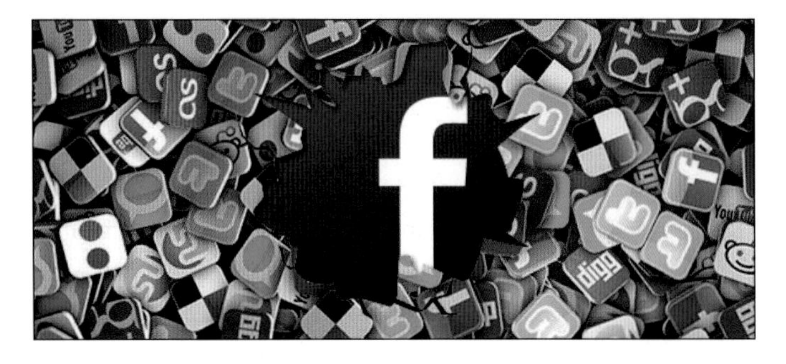

Hoy en día, con la proliferación de los dispositivos táctiles, pasamos horas tocando pantallas con nuestros dedos para hacer "clic" en aplicaciones, juegos, páginas Web, etc. Y si volvemos hacia atrás nuestra mirada, no se trata solamente de la reciente moda de teléfonos inteligentes y tabletas con pantallas táctiles, sino que desde hace ya algunos años, manejamos con la punta de nuestros dedos cajeros automáticos, terminales de venta, puntos de información y un sinfín de máquinas táctiles en organismos públicos y empresas privadas.

Este hecho nos hace suponer que la tendencia será crear cada día botones y elementos más grandes para nuestras aplicaciones. Web. Inicialmente, estos elementos de gran tamaño se utilizaban con fines de embellecimiento. Ahora, se espera que éstos se conviertan en una necesidad. Los elementos grandes harán sin duda que resulta mucho más fácil "acertar" en los elementos de nuestras pantallas táctiles, aunque es posible que esta tendencia tenga un defecto. Utilizar elementos gráficos de mayor tamaño se puede traducir en una ralentización de la carga de una página Web. Los diseñadores tendrán que esforzarse por encontrar un equilibrio entre ambos conceptos o, de lo contrario, esta tendencia puede que no dure demasiado. Sólo el tiempo nos dirá lo que tendencias de este tipo nos tienen deparado.

Importancia de la imagen Web corporativa

Las páginas Web son cada vez más relevantes para el mundo de los negocios, sobre todo, para aquellos que operan por Internet. Por lo tanto, nuestros diseños Web deberán ir asociados a la imagen que desea transmitir nuestro cliente a sus visitantes y tendremos que buscar formas de reconocimiento de marcas a través de logotipos y otras herramientas que resalten sus bondades, personalidad y principios. Además, debemos buscar la originalidad.

Las empresas quieren que su marca sea claramente perceptible. Los visitantes deberían ser capaces de reconocer una marca en cuestión de segundos. Las nuevas tendencias en diseño Web se espera que se centren más en el diseño de la marca en lugar de limitarse a un diseño Web que simplemente siga las tendencias genéricas actuales.

Los diseñadores deberán centrarse en la selección de los elementos que complementen a la propia marca o realcen la belleza del logotipo. El diseñador deberá centrarse en la representación del propio negocio a través de sus páginas Web.

Esta tendencia se espera que dure mucho tiempo. Es muy importante que tanto los responsables de marca como los diseñadores, trabajen hombro con hombro para desarrollar sitios Web que representen fielmente las cualidades de una firma.

Otras consideraciones

Cuando nos enfrentemos a la creación de nuestros sitos Web, debemos tener en consideración dos aspectos esenciales respecto al usuario: la usabilidad y el aspecto visual. Ambos conceptos están íntimamente ligados, pues un buen diseño hace que una página resulte fácil de navegar y de interactuar con ella. Además, nuestros diseños deberán tener en cuenta los avances actuales de la industria y estar preparados para los futuros cambios que experimentará la Web a lo largo del tiempo.

Las tendencias del diseño Web que ya hemos citado en las anteriores páginas junto con otras muchas consideraciones marcarán las tendencias del desarrollo de nuestros sitios Web en los próximos meses y años. Teorías totalmente innovadoras, tecnologías que después de gozar de un éxito arrollador en el diseño de cualquier sitio Web ven como su declive acaba por hacerlas desaparecer, nuevas plataformas... ¿adónde nos encaminamos?

Una de las víctimas más destacadas de la evolución continua de la Web es el formato Flash. Aunque continúa aún con vida, irá extinguiéndose lentamente. Para nuestros nuevos desarrollos tendremos que descartarlo, ya que de lo contrario no sería posible optimizar nuestra Web para dispositivos móviles ni posicionarla correctamente en los buscadores.

Otra de las tendencias próximas del diseño Web será la del desplazamiento. Un factor indispensable a tener en cuenta para la adaptación de nuestros sitios Web a dispositivos móviles es que a medida que los usuarios se desplacen por una página Web en este tipo de dispositivos, también deberán desplazarse los botones y los menús que realizan las funciones de navegación del sitio.

De esta forma, evitaremos que el usuario tenga que volver al principio para, por ejemplo, cambiar de página. Lo mismo se aplicará a carros de la compra y los botones específicos de determinadas redes sociales. El desplazamiento vertical será una demanda obligatoria para facilitar a los usuarios la navegación a través de una Web.

También nos encontraremos próximamente con una tendencia de diseño en la que nuestros sitios Web gocen de mayores espacios en blanco, siguiendo la pauta según la cual un diseño simplificado es un diseño bello. Las páginas Web se diseñarán con más espacios en blanco para no confundir al usuario.

Integraciones con redes sociales actuales tales como botones "compartir", están quedando anticuadas, por lo que se crearán nuevas formas de integrar las páginas de un sitio Web con los perfiles de dichas redes sociales, seguramente, en forma de aplicaciones.

En la nueva Web, el contenido será el rey. Por lo tanto, hay que hacer llegar el contenido al usuario mediante la mejor experiencia de navegación posible. Será necesario desarrollar múltiples plataformas de contenido que sean eficientes y accesibles.

La simplicidad es el nuevo paradigma del diseño Web. La tendencia será al minimalismo, a desarrollar diseños claros, centrados en la tipografía (tipos de letras o fuentes), con menos elementos decorativos, con colores planos (generalmente tonos pastel), etc.

Y todo ello alrededor de la necesidad de crear diseños adaptativos útiles y atractivos para distintos tipos de plataformas Web. En el futuro se vislumbra un ecosistema de dispositivos interconectados que trabajarán con el objetivo de una integración entre diferentes servicios y cuentas de usuario.

Capítulo 3

Desarrollo de un sitio Web

Planificación

Antes de dar comienzo al trabajo de programación (diseño del código HTML5 o scripts) de las páginas de un sitio Web, es necesario planificar con el mayor lujo de detalle posible las distintas etapas del proyecto. En rasgos generales, los conceptos que debería tener en cuenta el desarrollador a la hora de diseñar un sitio Web son los siguientes:

1. Definición de objetivos.
    - **¿Cuál es el propósito del sitio Web?** En esta etapa, deberá definirse claramente el porqué del sitio Web: proporcionar una determinada ayuda o información al visitante, crear un escaparate comercial de una empresa, una publicación oficial, etc.
    - **¿A quién va dirigido?** A continuación, será necesario definir cuál es el público potencial del sitio Web. Por ejemplo, no es lo mismo un sitio Web dirigido al público infantil que una herramienta de venta por catálogo.
2. Definición de la estructura del sitio.

    En esta etapa, resultará conveniente realizar un boceto o diseño de cuál va a ser la estructura física del sitio. Es aconsejable dividir la información por categorías independientes entre sí y ofrecer un fácil acceso a las zonas que puedan resultar de mayor interés para el visitante. Una vez definida esta estructura, podremos tener una idea aproximada del material (textos, imágenes, etc.) que será necesario para cada página del sitio.
3. Definición del diseño.

    En esta etapa se definirán los criterios estéticos y de diseño del sitio Web: esquemas de colores, tipografías, imágenes comunes, etc. De esta forma, se proporcionará un aspecto homogéneo y profesional al sitio.
4. Comprobación de requisitos.

    Finalmente, será necesario realizar un pequeño inventario de todas las herramientas, materiales y demás requisitos imprescindibles para la elaboración del sitio Web: editores HTML, programas de retoque fotográfico, imágenes y textos, autorizaciones y demás exigencias legales, etc.

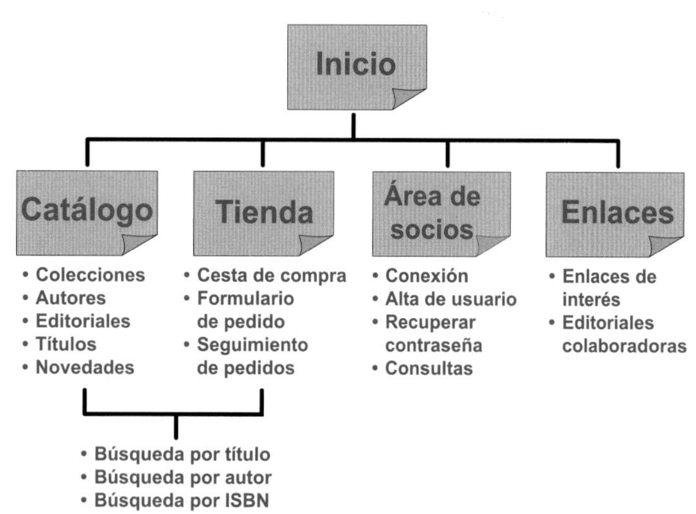

Estructura del sitio

Una vez definida la estructura global del sitio Web, será necesario definir la forma y características de cada página en particular. El objetivo es ofrecer un producto profesional y atractivo teniendo en mente el sector de público al que va dirigido.

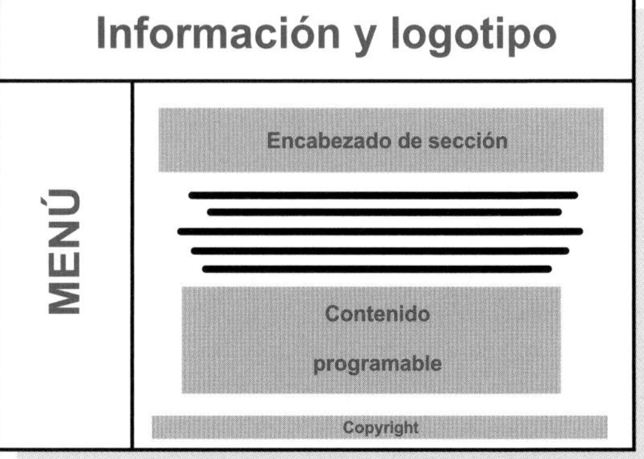

Una buena idea inicial podría ser investigar en Internet cómo se han diseñado otros sitios Web similares o de contenido equivalente al que se desea desarrollar. No se trata, por supuesto, de duplicar su diseño sino simplemente de comprobar cómo pueden encajar nuestras propias ideas sobre colores, contenido gráfico, tipografías, etc. con la temática que pretendemos abordar. A la hora de definir un buen diseño para un sitio Web es preciso fijar como objetivo principal el conseguir un equilibrio entre el atractivo de imágenes y animaciones flash y la importancia del contenido que se desea transmitir. Imágenes y animaciones pueden causar un impacto visual interesante al principio, pero son lentas de cargar y, si no van acompañadas de un contenido de interés para el visitante carecen de utilidad.

Con todas estas nociones, se confeccionará un esquema básico de los elementos que se desean mostrar en cada sección del sitio Web, acompañándolo preferiblemente de un boceto a mano del aspecto que debe presentar cada una de las páginas del sitio:

- **Cabeceras y títulos.** Elementos visuales que proporcionen al visitante una idea rápida y clara de cuál es el contenido de la página.
- **Información de contacto o copyright.** Dirección de correo electrónico u otros datos de contacto para que el visitante pueda contactar con el *webmaster* (encargado del mantenimiento del sitio) en caso de que necesite ampliar algún tipo de información.
- **Elementos de navegación comunes.** Barras de navegación que proporcionen un acceso rápido a las principales secciones de interés del sitio.
- **Composición de texto e imágenes.** Estructura general de distribución de texto y elementos gráficos dentro de cada página.

Recopilación y preparación de contenidos

Fotografía JPEG

Una vez definida la estructura y los criterios de diseño de un sitio Web, comienza la etapa de recopilación de todos los elementos (imágenes, textos, animaciones, sonidos y demás elementos multimedia) que poblarán las distintas páginas del sitio. Los elementos más comunes que incluye cualquier página Web son:

- **Texto:** algunos de los formatos de texto más extendidos son: texto en bruto (txt), formato de texto enriquecido (rtf) y Microsoft Word (doc o docx)
- **Imágenes:** todos los navegadores reconocen de forma predeterminada los formatos de imagen GIF y JPEG.
- **Sonidos:** los formatos más comunes son: wav, midi y RealAudio.
- **Animaciones y vídeo:** los formatos más comunes para su utilización en Internet son: Flash, avi, QuickTime y RealVideo.

La utilización de elementos gráficos en una página Web realza y da vistosidad a su contenido. No obstante, utilizar demasiadas imágenes o escogerlas demasiado grandes (en cuanto a su tamaño de archivo, no en cuanto a dimensiones) puede aumentar de tal manera el tiempo de descarga de la página que cause un efecto contraproducente.
Los elementos gráficos más habituales que puede encontrar en cualquier página Web son:

- **Fondos:** mosaicos para utilizar como fondo de una página Web
- **Viñetas:** son los puntos que aparecen a modo de marca a la izquierda de cada punto de una lista de viñetas.
- **Botones:** sirven para que el usuario realice alguna acción sobre la página Web haciendo clic sobre su superficie.
- **Flechas:** se utilizan generalmente para representar botones que permiten navegar a través de las páginas de un sitio.
- **Iconos:** elementos gráficos que generalmente representan determinadas opciones o situaciones habituales en una página Web (enviar un e-mail, página en construcción, novedad, tema de interés, etc.) o simplemente como elementos decorativos.
- **Líneas de división:** Líneas o gráficos para realizar una separación entre dos secciones de la página.

Programación

Una vez definida la estructura del sitio Web y preparados todos los materiales necesarios, podrá dar comienzo la etapa de programación propiamente dicha.

En la actualidad, las herramientas de edición de páginas Web evitan la necesidad de conocer en profundidad lenguajes de programación como HTML5 o CSS3. Con un programa como Dreamweaver o WebMatrix, se construyen las distintas páginas utilizando la interfaz gráfica de la aplicación, que presenta todos los elementos tal como se visualizarán en el navegador. Habitualmente sólo es necesario editar el código de forma manual para realizar pequeños retoques o para incluir determinadas rutinas o scripts personalizados.

Durante la programación de un sitio Web, se podrían distinguir las siguientes etapas:

- **Adecuación y preparación previa de los materiales.** En esta etapa, se revisarán y pulirán los textos que se desean incluir en el sitio Web, se retocarán las imágenes adaptando su tamaño y calidad a las necesidades de su publicación en la Web y se prepararán los restantes elementos tales como vídeos, animaciones flash, iconos animados, etc.
- **Preparación de plantillas de trabajo.** Con objeto de mantener la coherencia y homogeneidad a lo largo de todo el sitio Web, será necesario preparar las plantillas que darán forma a las distintas páginas del sitio. Se crearán las páginas de marcos que configuran la estructura global del sitio y las páginas comunes tales como barras de navegación o cabeceras. Dependiendo del editor seleccionado, también se crearán los temas u hojas de estilo que aseguren la coherencia de formatos de diseño (colores, estilos de texto, etc.).
- **Composición de páginas.** Finalmente, lo único que resta es generar el contenido de las distintas páginas: colocar texto e imágenes, establecer los vínculos entre las páginas, crear tablas, listas, formularios y demás componentes, etc.

Prototipo

Completar la programación de un sitio Web, no significa que esté listo para su publicación. Esta primera versión (o prototipo) del sitio debe ser analizada y probada en busca de posibles incoherencias, defectos de programación y, en general, en busca de cualquier cambio estético o funcional que se desee aplicar al diseño previo. Algunos de los aspectos más importantes a comprobar son los siguientes:

- **Validación:** este proceso consiste en comprobar que el código de nuestras páginas Web se ajusta a los estándares de programación del lenguaje. En el sitio Web de la organización del W3C, encontrará herramientas para la validación del código HTML5, del código CSS3, de los enlaces y de la accesibilidad de sus páginas Web.
- **Pruebas en distintos navegadores:** con casi toda seguridad, sus páginas Web se verán de manera distinta en los diferentes navegadores del mercado (y en las diferentes versiones de cada navegador). Debería asegurarse de realizar pruebas de sus sitios Web al menos en las principales versiones de los navegadores Internet Explorer, Firefox, Opera y Safari. Puede encontrar estadísticas de uso de los distintos navegadores escribiendo el término "ranking navegadores" en su buscador de Internet preferido.
- **Probar distintas configuraciones:** es necesario tener en cuenta que distintos usuarios pueden utilizar distintas configuraciones en sus equipos y navegadores:
  - Sistemas operativos: tenga en cuenta, por ejemplo, que cada sistema operativo puede utilizar un conjunto de fuentes y complementos diferente. Para probar su sitio en distintos sistemas operativos puede utilizar máquinas virtuales como Virtual PC, WMware o iEmulator.
  - Configuración de navegadores: tenga en cuenta que algunos navegadores pueden tener desactivadas por elección del usuario algunas características como presentación de imágenes, JavaScript, *cookies*, complementos de Flash, CSS3, etc.
  - Otras configuraciones: tenga en cuenta también otras configuraciones del sistema como las posibles resoluciones de pantalla o el número de colores.
- **Otras consideraciones:** piense en cómo se comportará su sitio Web en redes lentas, en dispositivos móviles o en herramientas tales como lectores de pantalla.

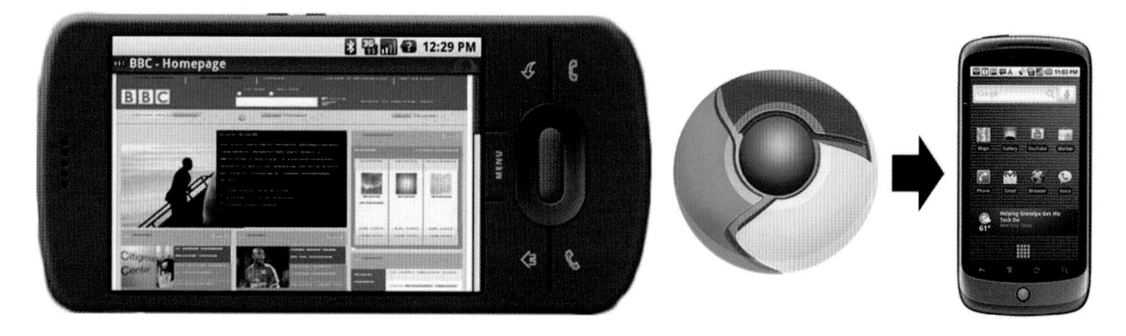

Soluciones tecnológicas

Cada desarrollo Web puede requerir una serie de soluciones tecnológicas diferentes. Todo desarrollador Web tiene la obligación de mantenerse informado sobre cuáles son las últimas tendencias y tecnologías disponibles para el diseño Web, aunque también es imprescindible que mantenga en todo momento la perspectiva sobre la audiencia potencial de cada uno de sus desarrollos y su relación con la tecnología informática y de Internet en particular. Si desarrollamos un sitio Web altamente tecnológico orientado a usuarios con pocos conocimientos informáticos (y que probablemente utilicen equipos, sistemas operativos y navegadores anticuados) estaremos avocados al fracaso. Por el contrario, si optamos por una solución simplista y conservadora en un sitio Web orientado a usuarios altamente cualificados, estaremos perdiendo credibilidad y la confianza de nuestros clientes.

Considere aspectos como estos sobre el desarrollo de sus sitios Web:

- ¿El contenido de su sitio Web va a ser estático o dinámico? En el primer caso, bastará con las tecnologías Web convencionales (HTML5, CSS3, etc.). En el segundo, tendrá que recurrir a lenguajes de programación más avanzados como PHP, ASP o JSP.
- ¿Su sitio Web incluye comercio electrónico? No olvide entonces un catálogo con productos y precios, la sección de soporte técnico y garantías y un software de carro de la compra junto con las herramientas de pago correspondientes (transferencias, pago online, etc.).
- ¿Necesita soluciones de la Web 3.0? Esto incluye herramientas tales como servicios de publicidad, de distribución de contenidos, blogs, gestión de contenidos, sindicación de contenidos (RSS, Atom, Bloglines), programación Ajax, Flash, páginas dinámicas con Ruby on Rails, vinculación con redes sociales, XML, RDF y microformatos, inteligencia artificial, Web semántica, etc.

Implementación

Una vez desarrollado un sitio Web será necesario exponerlo en Internet para que los usuarios de la Red puedan visitarlo. Esta operación se conoce con el nombre de publicación.

A la hora de publicar un sitio Web, se puede elegir entre utilizar nuestro propio equipo como servidor o contratar los servicios de una empresa externa que albergue las páginas del sitio. La primera opción requiere un equipo informático y unos conocimientos técnicos que quedan fuera del alcance de este libro.

Por lo general, la mayoría de los proveedores de Internet, disponen de servicios de *hosting* o alojamiento preparados para albergar los sitios Web de sus clientes. El coste de este servicio es relativamente bajo o incluso gratuito y depende, por lo general, de si el contenido del sitio está dedicado a fines comerciales o si se trata simplemente de una página personal.

A la hora de escoger un servicio de *hosting*, es conveniente tener en cuenta los siguientes requisitos:

- **Servicios y características técnicas del servidor.** La mayoría de los proveedores de *hosting* ponen a nuestra disposición todas las herramientas necesarias para que nuestro sitio Web funcione correctamente. No obstante, antes de contratar su servicio, sería conveniente informarnos de si cumple con los requisitos técnicos necesarios como, por ejemplo, si permite la utilización de complementos y extensiones de FrontPage o si permite ejecutar cualquier otro tipo de script que hayamos programado en el sitio.
- **Capacidad de almacenamiento.** Muchos proveedores de Internet ofrecen un servicio de alojamiento gratuito a sus clientes limitado a fines no comerciales y con restricciones de tamaño. Dichas restricciones suelen ser más que suficientes para albergar la mayoría de las necesidades. No obstante, si nuestro sitio Web tiene unas dimensiones considerables (por ejemplo, si tiene una elevada carga de imágenes o incluye vídeos de larga duración) es conveniente informarse de cuál es el tamaño máximo permitido y del coste adicional que podría representar ampliar dicho límite.
- **Herramientas adicionales.** Si pretendemos realizar un seguimiento del funcionamiento de nuestro sitio Web, el proveedor de *hosting* debería proporcionarnos herramientas para el análisis de uso del sitio: contadores de visitas, estadísticas de páginas más visitadas, etc.

Características de un sitio Web efectivo

Desarrollar un sitio Web que tenga éxito no es sólo cuestión de una programación técnicamente correcta, sino que requiere que tengamos en cuenta toda una serie de cuestiones de diseño tanto genéricas como específicas del entorno Web. Entre los aspectos más destacados podríamos citar:

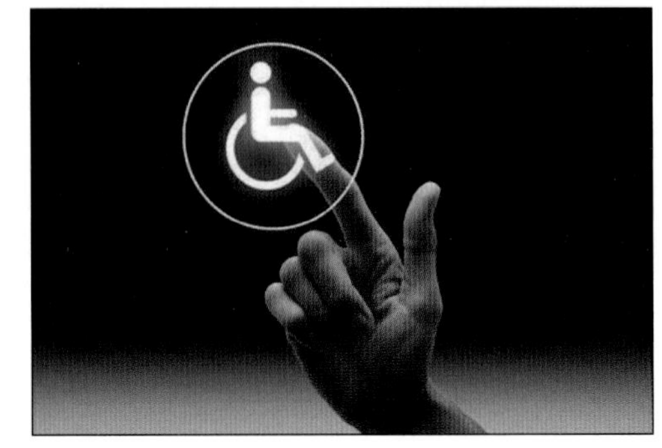

- Que el contenido sea fácil de encontrar, de leer, de imprimir o de descargar. Esto se consigue con un diseño claro y limpio, un sistema de navegación claro, sencillo y coherente a lo largo de todo el sitio Web y con una elección adecuada de tipografías, colores y contrastes.
- La mayoría del contenido tiene que llamar inmediatamente la atención del visitante, aunque es aceptable que parte de dicho contenido se encuentre parcialmente oculto.
- El sistema de navegación debe ser sencillo e intuitivo.
- El contenido y el formato son inseparables. El formato debe mejorar el contenido y el contenido dar sentido al formato.
- Ofrezca algo que no esté disponible en otros sitios Web. Ofrezca una experiencia enriquecedora para el visitante.
- Respete el tiempo del usuario. Sus páginas deberían tener tiempos de carga bajos, de menos de 15 segundos. Evite que la experiencia de navegación acabe por frustrar a sus visitantes.
- Proporcione una experiencia interactiva que anime a los visitantes a regresar nuevamente a su sitio Web. Intente establecer con ellos un diálogo y una relación a largo plazo.

Y no olvide tampoco revisar los siguientes aspectos:

- Integre el diseño de su sitio Web con otros elementos de diseño de la empresa u organización a la que pertenece (identidad corporativa, esquemas de colores, tipos de elementos gráficos, etc.).
- Capte la atención del visitante a lo largo de todas las páginas del sitio Web. Asegúrese de utilizar una jerarquía de información lógica.
- Asegúrese de cumplir con los estándares de accesibilidad para no apartar a ningún colectivo de visitantes posible.

Diseño modular

Busque una revista o un periódico. Si observa con atención, verá que los elementos de diseño de las distintas páginas de estas publicaciones (el texto, las fotografías y cualquier otro elemento gráfico) están organizados en columnas, siguiendo una composición modular, como colocados sobre una especie de cuadrícula. Una cuadrícula es una estructura de composición compuesta por bloques verticales y horizontales que dividen un documento en filas, columnas y márgenes. Y por supuesto, este mismo concepto de diseño modular se puede ampliar al diseño de páginas Web

Si tiene que organizar gran cantidad de contenido en una página Web determinada o en varias páginas a lo largo de un sitio Web, es prácticamente obligatorio que utilice algún tipo de estructura predefinida para asegurarse de que los visitantes sean capaces de acceder y leer fácilmente esa gran cantidad de información.

Repetir estructuras basadas en la misma cuadrícula en las diferentes páginas de un sitio Web, hace que todas las páginas (aunque tengan un contenido diferente) tengan similitud entre sí, asegurando una sensación de congruencia a lo largo de todo el sitio Web. Una cuadrícula establece un orden, define los límites de los elementos de una página y los mantiene organizados.

En cada página, podemos optar por seguir de manera estricta el diseño marcado por nuestra cuadrícula o romperla ocasionalmente de manera intencionada para aportar interés visual o variación en un momento dado. Sin embargo, si rompemos con demasiada frecuencia este esquema, perderemos el armazón estructural que proporcionan.

Generalmente, en un sitio Web de grandes dimensiones (con numerosas secciones con varias páginas en cada sección), utilizaremos varias cuadrículas diferentes.

Derechos de autor

Una de las fuentes más utilizadas para obtener recursos (por ejemplo recursos gráficos) y nuevas tecnologías para el diseño y desarrollo de un sitio Web se encuentra en la propia red de Internet. Sin embargo, antes de copiar cualquier material, hay que tener en cuenta las derivaciones legales que esto implica. Dado que el uso extensivo de la red de Internet es relativamente reciente, la legislación que regula su funcionamiento muestra aún numerosas lagunas. Sin embargo, al igual que en cualquier otro medio de comunicación, la información disponible en la Web se encuentra sujeta a la ley de propiedad intelectual. Como norma general, no debe utilizarse ningún material ni para fines comerciales ni para fines personales sin la autorización de su creador original.

En la actualidad, para incluir un enlace externo en una página Web no es necesario (desde un punto de vista legal) obtener el permiso de su creador. Sin embargo, las normas de cortesía de Internet establecen que, al menos, debería informarse de tal circunstancia a los administradores del sitio.

Para utilizar cualquier material protegido por la ley de propiedad intelectual, será necesario disponer del permiso explícito de su creador. La técnica habitual suele consistir en ponerse en contacto con el administrador del sitio a través del correo electrónico o mediante los números de teléfono o fax que puedan aparecer reflejados en sus páginas.

Tráfico

Habitualmente el servidor donde se aloja un sitio Web dispone de un archivo de registro donde se contabiliza el número de ocasiones que se ha solicitado cada uno de sus elementos (archivos). Estas solicitudes o visitas son conocidas en el argot técnico con el nombre de *hits*.

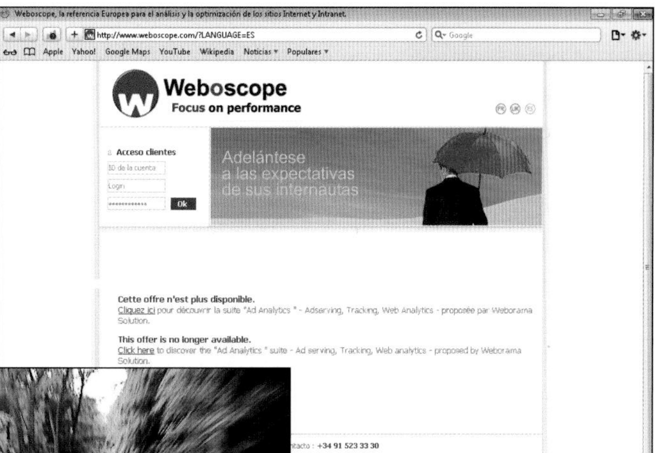

Los archivos de registro introducen además diversas categorías de información que pueden resultar útiles para el análisis del tráfico de un sitio Web (fecha y hora de la solicitud, errores producidos en el acceso a una página, etc.) La gran cantidad de información recogida en los archivos de registro puede parecer en un principio intimidante, pero es imprescindible para conocer las preferencias de los visitantes del sitio.

A la hora de contratar un servicio de *hosting* o alojamiento, es imprescindible averiguar si el servidor puede ofrecer información sobre las visitas o *hits* recibidos por las distintas páginas o, mejor aún, si pone a disposición del usuario los propios archivos de registro. Si se dispone de esta información podrá ser tratada por un consultor o analizada mediante un software específico para extraer valiosas conclusiones sobre el mantenimiento del sitio.

En los archivos de registro queda constancia también de los errores de acceso a las distintas páginas. Estos aparecen indicados mediante el código de error "404 URL no Encontrado". También queda registrado el número de ocasiones en las que falló el propio servidor, generando esta vez el código de error "500 Error de Servidor".

Consulte las direcciones Web `http://www.web-analytics.es/` y `http://www.weboscope.com/?LANGUAGE=ES` para obtener más información sobre el tema y software para el análisis de archivos de registro.

Promoción

Una vez publicado un sitio Web será necesario promocionarlo para que los posibles visitantes tengan conocimiento de su existencia.
Una de las primeras medidas a tomar consiste en incluir la dirección URL del sitio en todo tipo de comunicación empresarial, incluyendo una referencia en forma de firma digital en los mensajes de correo electrónico.
No obstante, el método más eficaz para dar a conocer un sitio Web es darlo de alta en alguno de los buscadores existentes en Internet. Generalmente, este proceso suele ser de carácter gratuito. Sin embargo, hay que tener en cuenta que encontrar los mejores buscadores y disponer de los mejores espacios publicitarios puede requerir gran cantidad de tiempo y recursos. Existen empresas especializadas en gestionar y mantener actualizada la información sobre un sitio Web en los principales buscadores.
A grandes rasgos, es posible distinguir entre dos tipos de buscadores diferentes:

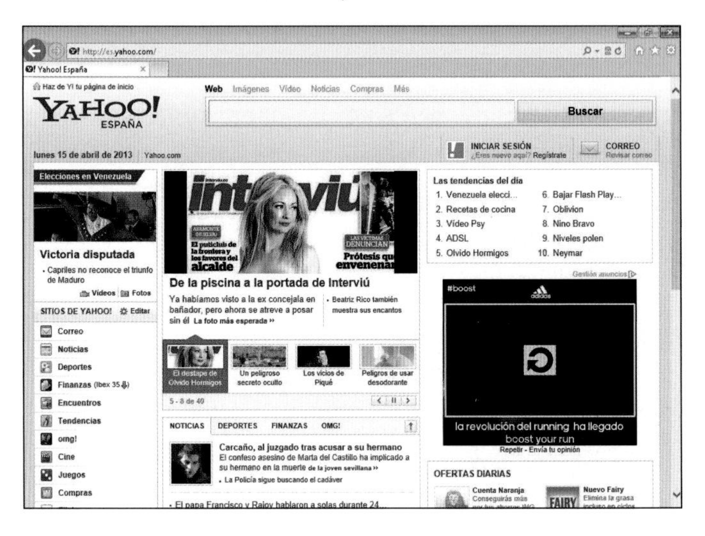

- **Directorios:** las páginas Web son catalogadas según categorías de información.
- **Motores de búsqueda:** utilizan un software especial conocido con el nombre de *robot* o *araña* que rastrea la Web en busca de nuevas páginas.

Algunos de los buscadores de uso más frecuente son Google (`http://www.google.es/`), bing (`http://www.bing.com/`), Alta Vista (`http://es.altavista.com/`), Yahoo! (`http://es.yahoo.com/`) o HotBot (`http://www.hotbot.es/`).
Otro de los procedimientos habituales para la promoción de un sitio Web consiste contactar con otros sitios relacionados con la propia actividad y pedir la inclusión en él de un enlace o banner publicitario.
Algunas direcciones adicionales para la promoción de sitios Web son:

- Google Adwords (`https://adwords.google.com`).
- Alta-en-buscadores.biz (`http://www.alta-en-buscadores.biz/index.php`).
- Mi Web funciona (`http://www.miwebfunciona.com/`).
- Enredados (`http://http://www.enredados.com/promocion.html`).
- PubliCentral (`http://http://www.publicentral.com/`).

Motores de búsqueda

Los motores de búsqueda recorren de forma continua la red de Internet en busca de nuevos contenidos. Para clasificar sus resultados, utilizan la información disponible en las propias páginas. Así pues, para conseguir los mejores resultados de promoción de un sitio, es aconsejable facilitar la labor de búsqueda de estos motores introduciendo en sus páginas la información más completa y detallada posible.
La utilización de meta-etiquetas contribuirá a que los motores de búsqueda cataloguen de forma correcta un sitio Web. Generalmente, se suelen utilizar tres etiquetas diferentes:

- <TITLE>. Contiene el título que aparece en la ventana del explorador cuando se visualiza la página. Los motores de búsqueda muestran como resultado el contenido de esta etiqueta.

```
<TITLE>Título descriptivo de la página</TITLE>
```

```
<head>
<meta http-equiv="Content-Type" content="text/html; charset=utf-8" />
<title>Librería Nazarí</title>
<meta name="description" content="Librería técnica, científica y literaria" />
<meta name="keywords" content="librería libros informática ciencia literatura" />
<style type="text/css">
```

- description. Esta meta-etiqueta se incluye dentro de la sección de encabezado de la página Web (entre las etiquetas <HEAD> y </HEAD>). Debe contener una descripción lo más completa y detallada posible del sitio.

```
<META NAME="description" CONTENT="Descripción completa de la página" />
```

- keywords. También se incluye dentro de la sección de encabezado. Contendrá las palabras clave mediante las que se desea identificar la página.

```
<META NAME="keywords" CONTENT="Palabras clave de la página" />
```

Finalmente, otro de los procedimientos de trabajo de algunos motores de búsqueda consiste en analizar las primeras 25 palabras disponibles en el texto de la página. Conviene, pues, emplear un contenido lo más descriptivo posible.

Buscadores en castellano

Uno de los sitios Web en castellano más utilizados para registrar una página en varios buscadores de forma simultánea es:

- Abansys (`http://www.abansys.com/promocion_web.html`).

Algunos de los buscadores de origen español más conocidos son:

- Google (`http://www.google.es/`).
- bing (`http://www.bing.com/`).
- Yahoo! (`http://es.yahoo.com/`).
- Lycos (`http://www.lycos.es/`)
- Terra (`http://www.terra.es`).
- Ozú (`http://www.ozu.es`).
- Trovator (`http://www.trovator.com/`).
- Yaaqui (`http://www.yaaqui.com/`).

Finalmente, algunos de los buscadores en castellano más utilizados en Latinoamérica son:

- MSN Latino (`http://latino.msn.com/`)
- Top 100 Latino (`http://www.top100latino.com/`).
- Latindex (`http://www.latindex.com/`).
- LatinWorld (`http://www.latinworld.com/`).
- LugarLatino (`http://www.lugarlatino.com/`).

Mantenimiento y actualización

La labor de mantenimiento y actualización de un sitio Web resulta de crucial importancia para captar el interés de los visitantes. Esta tarea puede quedar definida gracias a la información obtenida de la medición del tráfico de las distintas páginas, dado que este dato proporcionará una idea clara de cuáles son las preferencias de los usuarios.

Realizar una labor de mantenimiento significa comprobar de forma periódica que todos los archivos, páginas y enlaces funcionan correctamente y que las páginas siguen cargándose de forma adecuada cuando se realizan cambios o actualizaciones en el sitio.

Como norma general, es aconsejable incluir un enlace suficientemente accesible para que los visitantes comuniquen mediante un mensaje de correo electrónico los errores que detecten en el funcionamiento del sitio.

Actualizar un sitio Web representa incluir nuevos contenidos de interés o mejorar el aspecto o navegabilidad del mismo para que resulte más interesante. Esto, no significa necesariamente eliminar el contenido antiguo. Numerosos sitios Web mantienen un registro histórico del material que va siendo eliminado de sus páginas principales, de forma que queda accesible para su posible análisis.

Puede resultar interesante también incluir un aviso visible para que los usuarios conozcan las distintas novedades del sitio o, incluso, mostrar un resumen de las mismas en la página principal.

Para planificar el trabajo de actualización de un sitio es necesario tener en cuenta los recursos técnicos y humanos disponibles y utilizarlos de forma adecuada según la información del registro de visitas proporcionada por el proveedor del *hosting*.

Capítulo 4

Herramientas de programación

HTML5 y XHTML

HTML5 (*HyperText Markup Language*) es un lenguaje formado por un conjunto códigos (etiquetas) que indican a un explorador Web la forma en que debe interpretar la información contenida en una página Web. XHTML (*eXtensible Hypertext Markup Language*, lenguaje extensible de marcado de hipertexto) es el lenguaje pensado para sustituir en un futuro a HTML5, aunque hoy en día es solamente una versión XML de éste. (XML es un metalenguaje propuesto como estándar para el intercambio de información estructurada en distintas plataformas.) Un documento HTML5 no es más que un archivo de texto formado por caracteres en formato ASCII que puede ser interpretado por cualquier explorador de cualquier sistema operativo o plataforma.

La base del lenguaje HTM5L es la utilización de códigos denominados *etiquetas* que representan diferentes elementos disponibles en una página Web. Las distintas etiquetas no son más que los nombres (en inglés) o abreviaturas de las funciones a las que pertenecen encerrados entre paréntesis angulares: `<title>`, `<head>`, `<body>`, `<center>`, `<br />`, `<p>`, etc. Estas etiquetas pueden incluir además una serie de parámetros o variables opcionales que modifican su comportamiento particular. Cada parámetro viene definido por un nombre que proporciona una idea de la función que realiza y un valor separado por un símbolo igual (=): `<font size=`*`tamaño_de_fuente`*`>`.

Cuando dicho valor requiere la utilización de más de una palabra separada por espacios, será necesario la utilización del símbolo de comillas ("): `<font face="Arial Narrow">`.

Toda etiqueta está formada por una marca de inicio y otra de finalización (precedida ésta del símbolo /), que indican su rango de aplicación: `<font size=10>Texto con un tamaño de 10 puntos</font>`. No obstante, existen determinadas etiquetas que no requieren de una marca de finalización, ya que ésta queda implícita (por ejemplo, una marca de párrafo `<p>`, un salto de línea `<br />` o la inclusión de una imagen `<img>`).

Como norma general, dentro de un documento HTML5 los elementos especiales del texto tales como espacios, tabuladores, retornos de carro, etc. son ignorados. Para introducir algunos de estos elementos en una página Web, se utilizan las siguientes etiquetas:

Etiqueta	Descripción
	Inserta un espacio.
 	Inserta un salto de línea.
<p>	Inserta un salto de párrafo.

Generalmente, todo documento HTML5 dispone de una estructura común que define determinadas características de su comportamiento. El esquema básico de una página Web está compuesto por las siguientes etiquetas:

```
<html>
   <head>
      <title>
      </title>
   </head>
   <body>
      ...cuerpo del documento HTML
   </body>
</html>
```

La pareja de etiquetas <html> y </html> definen el principio y el final del documento HTML5. La etiqueta <head> abarca toda la información de cabecera. Dicha información no se mostrará en el explorador Web (a excepción del título del documento).
Las etiquetas <title> y </title> definen el título del documento (que aparecerá en la barra de título del explorador). Finalmente, dentro de las etiquetas <body> y </body> se encuentra el contenido propiamente dicho del documento HTML5.

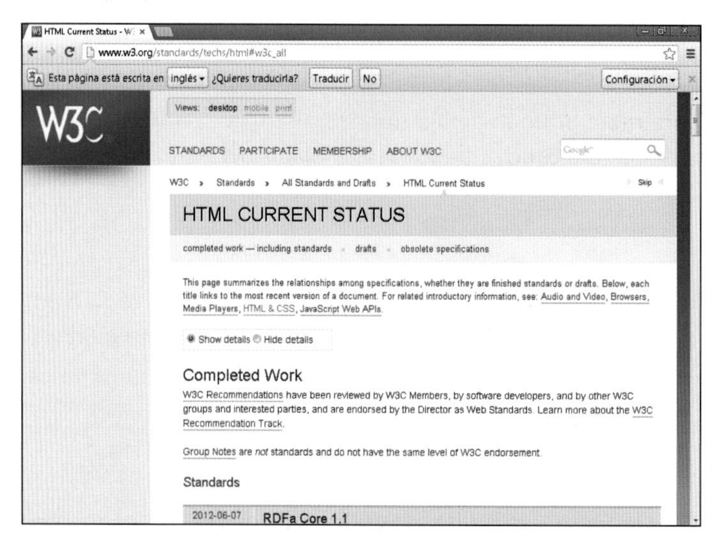

Javascript

Javascript es un lenguaje de programación Web interpretado, es decir, que se ejecuta a través de un intérprete (en este caso, un navegador Web) en lugar de compilarse en un programa ejecutable. Es un lenguaje ampliamente difundido en la creación de páginas Web y uno de sus principales usos es el de la creación de sitios Web dinámicos.

Es un lenguaje orientado a objetos (POO) que se utiliza en el lado del cliente (el navegador Web) y que fue diseñada con una sintaxis similar a la de C, aunque ha adoptado otros nombres y convenciones del lenguaje Java. Para interactuar con el contenido de una página Web, el lenguaje Javascript se basa en el modelo de objetos del documento (DOM) definido por el *World Wide Web Consortium*. Algunas tareas comunes en el lenguaje Javascript suelen ser:

- Para escribir un contenido de texto en una página Web, se utilizará el método `write()` del lenguaje, de la siguiente manera:

```
document.write ('¡Hola mundo!');
```

  Para definir una variable, se utiliza la palabra clave `var` seguida del nombre de la variable, un signo igual y el valor que se desea asignar a dicha variable, de manera similar a otros lenguajes de programación:

```
var saludo = "¡Hola mundo!";
```

- Finalmente, para mostrar un mensaje determinado en la pantalla del ordenador mediante un cuadro de mensaje, se empleará el método `alert` del objeto `window`, de la siguiente manera:

```
window.alert ('Hola mundo!');
```

En Internet, es fácil encontrar sitios Web con manuales y tutoriales sobre JavaScript, así como numerosos recursos con consejos, trucos de programación y ejemplos de código de gran utilidad. Algunos ejemplos son:

- Webestilo (`http://www.webestilo.com/javascript/`).
- Efectos Javascript (`http://www.efectosjavascript.com/`).
- Javascript source (en inglés) (`http://www.javascriptsource.com/`).

Ajax

Ajax es una técnica para desarrollos Web, no un lenguaje de programación en sí. Ajax es el acrónimo de *Asynchronous JavaScript And XML* (JavaScript asíncrono y XML) y su objetivo es la creación de aplicaciones dinámicas que se ejecutan en el lado del cliente (es decir, en el lado del navegador) mientras se mantiene una comunicación asíncrona con el servidor Web. El objetivo de una comunicación asíncrona es mantener en segundo plano la descarga de información mientras el usuario trabaja con la aplicación o simplemente lee su contenido. De esta forma, es posible ofrecer una experiencia de navegación mucho más atractiva para el usuario al reducir los tiempos de espera o evitar que una página se tenga que volver a cargar según las opciones seleccionadas por el usuario.
Ajax es un compendio de cuatro tecnologías Web ya existentes:

- HTML5, XHTML y CSS3 para el contenido y para dar forma al diseño de las páginas Web.
- El estándar del modelo de objetos del documento (DOM) implementado mediante Javascript para mostrar contenido e interactuar dinámicamente con él.
- Un intercambio asíncrono de información con el servidor Web que se establece mediante un objeto llamado `XMLHttpRequest`, una interfaz que procesa peticiones al servidor Web sin necesidad de la actuación directa del usuario.
- XML, un metalenguaje ampliable de etiquetas que define el formato que se utiliza para la transferencia de información con el servidor, aunque se pueden utilizar otros formatos como por ejemplo texto plano (TXT).

Algunos sitios Web de interés con recursos sobre Ajax son:

- Maestros del Web (`http://www.maestrosdelweb.com/editorial/ajax/`).
- Zona Masters.com (`http://www.zonamasters.com/categorias/ajax/`).
- Desarrollo Web (`http://www.desarrolloweb.com/ajax/`).
- CristaLAB (`http://www.cristalab.com/tutoriales/tutorial-de-ajax-c1621/`).

PHP

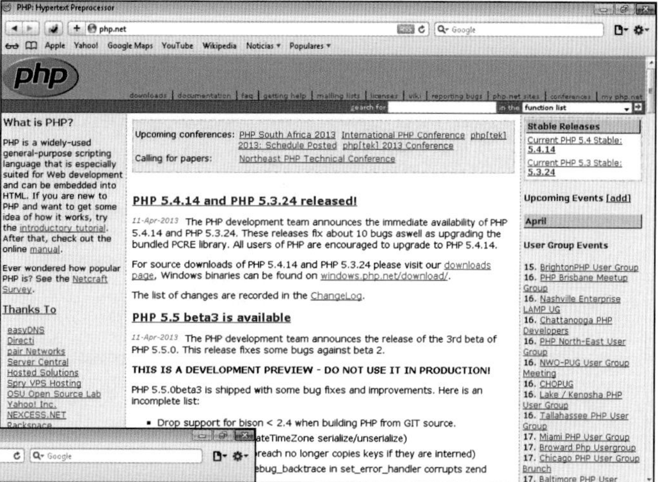

PHP es un lenguaje interpretado, es decir, que se traduce y se ejecuta en la aplicación en el momento de usarse en lugar de compilarse en un archivo ejecutable. Se utiliza principalmente en el lado del servidor y su objetivo principal es la creación de páginas Web con contenido dinámico.

PHP fue creado originalmente en 1994 por Rasmus Lerdorf, aunque hoy en día las principales implementaciones del lenguaje las desarrolla el grupo The PHP Group (`http://php.net/`). Es un lenguaje disponible en la mayoría de los servidores Web bajo casi todos los sistemas operativos disponibles. El lenguaje PHP es similar a otros lenguajes estructurados como C o Perl, lo que permite a la mayoría de los programadores aprender a manejarlo con relativa facilidad. Aunque principalmente es un lenguaje dirigido a la creación de páginas Web, también se pueden desarrollar aplicaciones con una interfaz gráfica para el usuario. Cuando un navegador hace una petición a un servidor para mostrar una página PHP, dicho servidor ejecuta su intérprete del lenguaje para procesar dicho código y generar de manera dinámica una página Web. Esta página se envía al servidor quien, a su vez, la envía al cliente. Algunas de las ventajas que ofrece el lenguaje PHP es que es multiplataforma (Windows, Mac, Linux, etc.), su capacidad para conectar con numerosos motores de bases de datos como MySQL y PostgreSQL, la disponibilidad de una extensa documentación a través de su sitio Web oficial (`http://php.net/`), su carácter libre y gratuito o su posibilidad de aplicar técnicas de programación orientada a objetos (POO).

Algunos sitios interesantes con recursos sobre PHP son:

- The PHP Group (el sitio Web oficial en ingles) (`http://php.net/`).
- WebEstilo (`http://www.webestilo.com/php/`).
- Programación en castellano (`http://www.programacion.com/php/`).

Perl

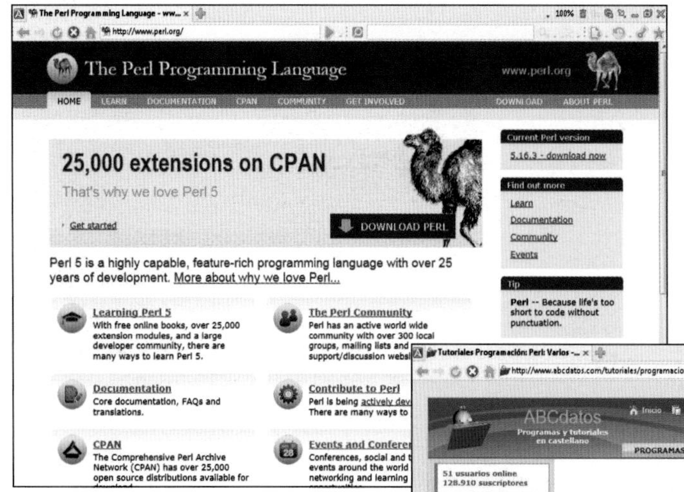

Perl es un lenguaje de propósito general que se adoptó en sus orígenes por sus capacidades para la manipulación de texto, aunque hoy en día se emplea tanto para la administración de sistemas o el desarrollo de interfaces gráficas, como para el desarrollo Web.

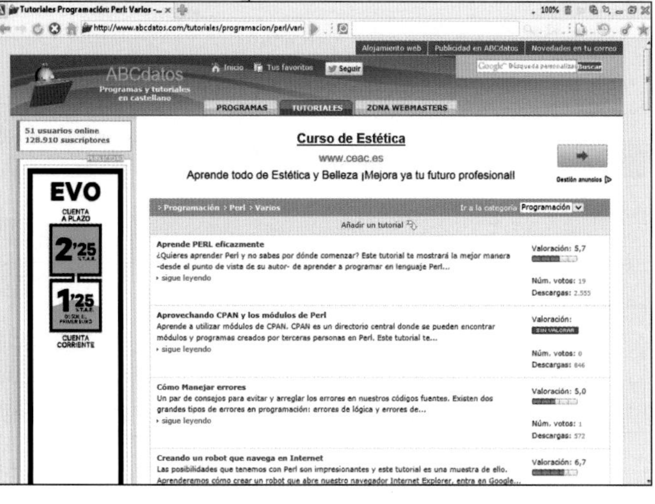

Sus principales ventajas son que es muy fácil de usar, su capacidad para soportar tanto técnicas de programación estructurada como de programación orientada a objetos y sus potentes funciones incorporadas para el procesamiento de textos. También es conocido por su gran variedad de módulos disponibles.

Perl es un lenguaje derivado de C de carácter libre y gratuito que se distribuye bajo licencia artística y licencia GNU y existen distribuciones disponibles para la mayoría de los sistemas operativos, aunque es un lenguaje especialmente extendido en UNIX y en sistemas similares. Puede descargar la última versión del lenguaje y encontrar todo tipo de información en su sitio Web oficial (en inglés) en la dirección `http://www.perl.org/`.

Para ejecutar un programa o *script* Perl, será necesario disponer de un intérprete de Perl instalado en el servidor Web. Se utiliza habitualmente para la construcción de aplicaciones CGI, dispone de funciones de gran utilidad para manejar texto y permite hacer llamadas a subprogramas escritos en otros lenguajes.

Algunos recursos de interés sobre Perl son:

- Perl en español (`http://perlenespanol.com/`).
- HTMLPoint (`http://www.htmlpoint.com/perl/index.html`).
- ABCdatos (`http://www.abcdatos.com/tutoriales/programacion/perl/varios.html`).

Ruby

Ruby es un lenguaje interpretado creado en 1993 por el japonés Yukihiro Matsumoto. Su sintaxis está inspirada en parte en Perl y es un lenguaje de programación orientada a objetos (POO) que se distribuye bajo una licencia de software libre y gratuito.

Según su propio creador, Ruby es un lenguaje diseñado para mejorar la productividad del desarrollador Web que sigue los principios de una buena interfaz de usuario. Ruby se suele definir como un lenguaje multi-paradigma, ya que permite una programación basada en procedimientos y funciones tanto como una programación orientada a objetos o una programación funcional, en la que se utilizan funciones que devuelven valores resultantes de su evaluación.

Algunas características interesantes del lenguaje son sus cuatros niveles de ámbitos para las variables del lenguaje (ámbito global, a nivel de clase, a nivel de instancia y local), su flexibilidad en el manejo de excepciones, su uso de expresiones regulares similares a las del lenguaje Perl, la posibilidad de utilizar sobrecarga de operadores, la recolección automática de basura, su portabilidad, la carga dinámica de bibliotecas DLL compartidas, etc.

Algunos de los principales recursos en Internet sobre Ruby son los siguientes:

- Página oficial de Ruby en español (`http://www.ruby-lang.org/es/`).
- Ruby Tutorial (`http://rubytutorial.wikidot.com/`).
- Aprende Ruby (`http://quodgraphic.com/guias/ruby/`).

ASP

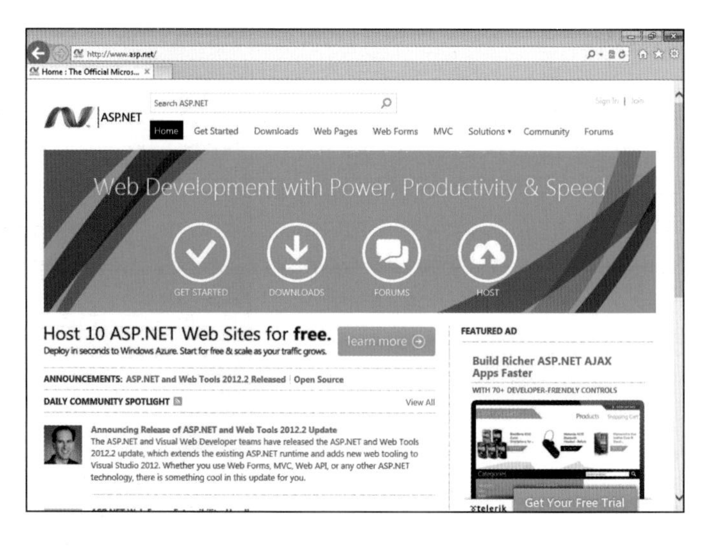

ASP es el acrónimo de las siglas *Active Server Pages*, una tecnología desarrollada por Microsoft para la generación dinámica de páginas en el lado del servidor. Se trata de un lenguaje de programación con una estructura tremendamente similar a la de otros lenguajes del mismo fabricante, como Visual Basic y C#, pero con funciones específicamente ideadas para la programación Web.

Esta tecnología permite emplear componentes tales como controles ActiveX y otros elementos instalados en el lado del servidor. Está limitado a servidores con IIS (*Internet Information Services*).

La última versión del lenguaje es ASP.NET, que constituye un marco de trabajo global para el desarrollo de aplicaciones y servicios Web dinámicos.

Las aplicaciones ASP.NET se pueden crear desde el entorno de desarrollo Visual Studio de Microsoft. También hay un producto gratuito independiente para el desarrollo de este tipo de aplicaciones llamado Visual Web Developer Express, que incluye el conjunto básico de características de diseño Web de Visual Studio. Algunas de las principales características que definen ASP.NET son un desarrollo de aplicaciones Web más dinámicas, con un código más claro, limpio, reutilizable y multiplataforma, junto con un código en general más sencillo.

Las siguientes son algunas direcciones de interés donde encontrar información detallada y recursos sobre la programación de sitios Web con ASP.NET.

- Sitio Web oficial de la comunidad de ASP.NET (en inglés) (`http://www.asp.net/`).
- MSDN (`http://msdn.microsoft.com/es-es/asp.net/default.aspx`).
- es-ASP.NET (`http://www.es-asp.net/`).
- WebEstilo (`http://www.webestilo.com/aspnet/`).

Títulos y texto

Antes de escribir texto en un documento Web, debemos especificar su codificación, el conjunto de caracteres que se utilizará (ISO-8859-1 para las lenguas de Europa del Oeste como español, catalán, eusquera, gallego, inglés, portugués, francés, alemán, italiano, etc. o UTF-8, UTF-16 que simplifica en uno solo los estándares ISO-8859). El conjunto de caracteres del documento se especifica mediante la meta-etiqueta `Content-Type` en la sección **head** del documento, como en los siguientes ejemplos:

```
<meta http-equiv="Content-Type" content="text/html; charset=ISO-8859-1" />
<meta http-equiv="Content-Type" content="text/html; charset=UTF-8" />
```

Para incluir títulos o encabezados en un documento Web, utilizaremos la etiqueta de apertura <h*n*> emparejada con una etiqueta de cierre </h*n*>, donde *n* es un valor comprendido entre 1 y 6. El valor 1 representa al título de mayor tamaño que, sucesivamente, va disminuyendo hasta el nivel 6:

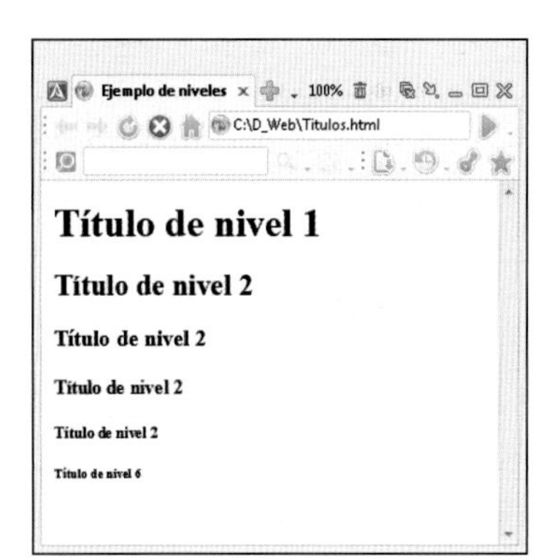


```
<h1>Título de nivel 1</h1>
<h2>Título de nivel 2</h2>
...
<h6>Título de nivel 6</h6>
```

Para crear un párrafo de texto, utilizaremos la etiqueta de apertura <p> emparejada con la etiqueta de cierre </p>, como en el siguiente ejemplo:

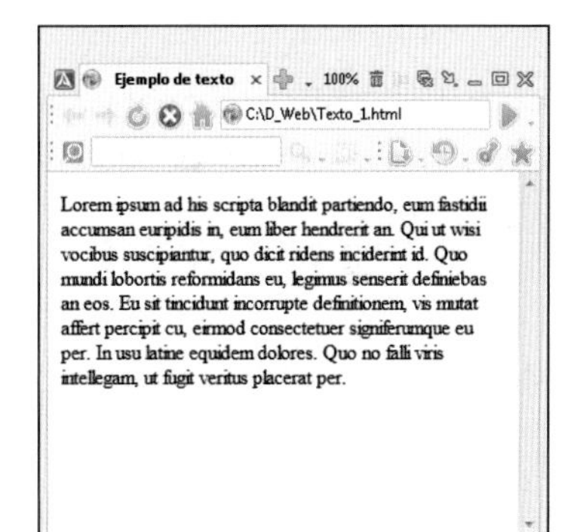


```
<p>Lorem ipsum ad his scripta ...
ut fugit veritus placerat per.</p>
```

Para crear un salto de línea manual en un punto determinado de un texto, utilizaremos la etiqueta <br />, como en el ejemplo:

```
<p>Nombre y apellidos<br />
Dirección<br />
Código postal<br />
Ciudad</p>
```

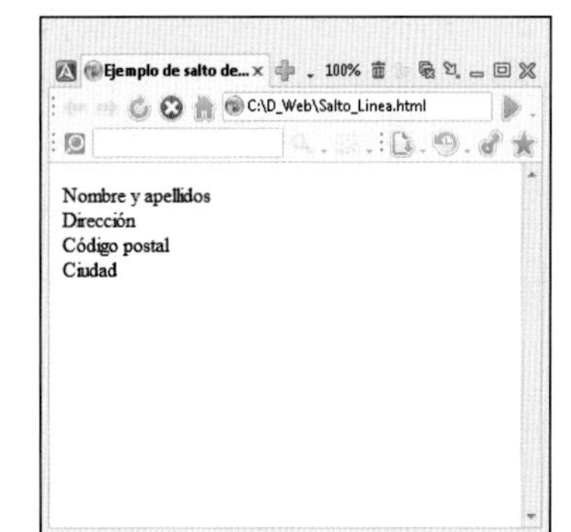

Para especificar caracteres que no pertenecen al conjunto de caracteres o codificación especificada para el documento, se pueden utilizar caracteres de escape, que se especifican mediante el sufijo &#, un valor numérico que representa al carácter y un símbolo de punto y coma, como por ejemplo:

```
&#65;&#66;&#67;&#68;&#69;&#70;&#71;&#72;&#73;&#74;&#75;
&#76;&#77;&#78;&#79;&#80;&#81;&#82;&#83;&#84;&#85;&#86;
&#87;&#88;&#89;&#90;
```

Hipervínculos y marcadores

Un vínculo, hipervínculo, enlace o hiperenlace es una referencia a otro lugar de la Red, tanto sea en un sitio Web o una página diferente como dentro de la misma página en una posición distinta.

Para crear un vínculo a otra página Web se utilizará la etiqueta `a`, especificando como argumento `href` el nombre y la dirección de la página Web a la que se desea acceder a través de dicho vínculo, como por ejemplo:

```
<a href="http://www.anayamultimedia.es/cgi-bin/main.pl">
Haga clic aquí para ir a la Web de Anaya Multimedia</a>
```

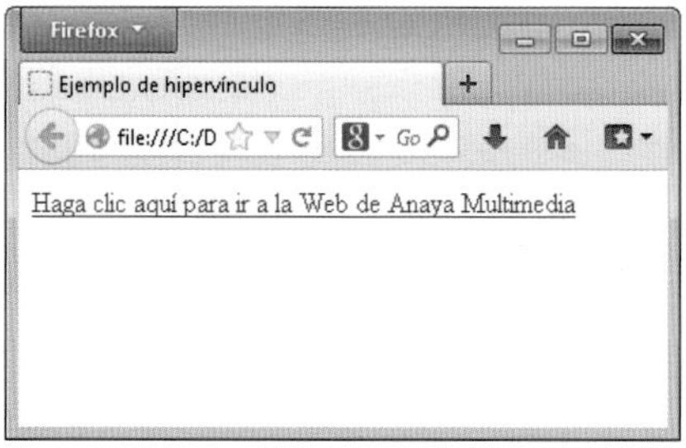

Omita el nombre de archivo para acceder al documento por defecto de una carpeta determinada, como por ejemplo, `http://www.anayamultimedia.es/`. Si no especifica el nombre de la carpeta, escriba solamente el nombre de un documento que se encuentre en la misma carpeta que el hipervínculo, como por ejemplo, `compras.html`, para acceder a una página que se encuentra en la misma carpeta que el documento que contiene el vínculo.

Para crear un punto de referencia o ancla en una página Web, utilizaremos la etiqueta `a` con el atributo `name`, como en el ejemplo:

```
<a name="contacto">Contacte con nosotros llamando al teléfono...</a>
```

Luego, para crear un vínculo a dicha posición del documento, utilice el formato habitual de hipervínculo escribiendo el nombre del ancla precedido de un signo # en lugar de escribir una dirección URL. Por ejemplo:

```
<a href="#contacto">Haga clic aquí para ver la información de contacto</a>
```

Para especificar dónde queremos abrir la nueva página Web a la que accedemos mediante un hipervínculo, utilizaremos el atributo `target`, que puede adoptar los siguientes valores:

Valor	Descripción
target="_blank"	El documento se abre en una nueva ventana del navegador.
target="_self"	El documento se muestra en el mismo marco o ventana donde está el enlace.
target="_parent"	El nuevo documento se muestra en el marco padre del marco actual.
target="_top"	El nuevo documento se muestra utilizando todo el espacio disponible en la ventana del navegador.

Imágenes

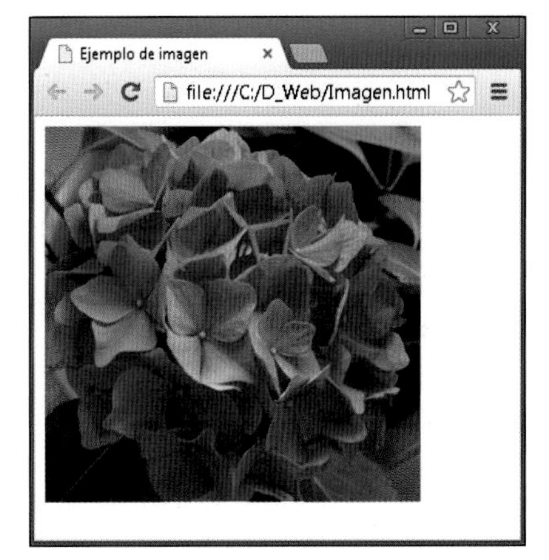

Los formatos de imágenes actualmente disponibles para la Web son GIF, JPEG y PNG, que va ganando popularidad poco a poco. Para insertar una imagen en una página Web, utilizaremos la etiqueta `img` con un atributo `src`, donde especificaremos el nombre y la ubicación del archivo de imagen que queremos mostrar. Por ejemplo:

```
<img src="hortensia.jpg"/>
```

En algunas ocasiones, un navegador Web puede ser incapaz de mostrar una imagen especificada en un documento (porque la imagen no se encuentre en la ubicación especificada o su archivo se haya dañado, porque en el navegador se haya desactivado la presentación de imágenes, etc.) En tales circunstancias, será recomendable ofrecer un texto alternativo con información sobre la imagen mediante el atributo `alt`. También se puede ofrecer una pista o ayuda sobre una imagen cuando se sitúa sobre ella el puntero del ratón. Para hacerlo, utilizaremos el atributo `title`. Un ejemplo de estos dos formatos sería:

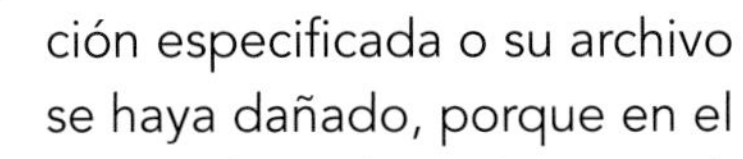

```
<img src="riachuelo.jpg" alt="Fotografía de un riachuelo"
title="Riachuelo"/>
```

Para distribuir texto alrededor de una imagen, utilizaremos dentro de la etiqueta `img` el atributo `align`, al que asignaremos el valor `"left"` para colocar la imagen a la izquierda del texto o el valor `"right"` para colocarlo a la derecha. Como en el siguiente ejemplo:

```
<img src="Giovinetta.jpg" align="left"/>
```

Sin distribuir **Izquierda** **Derecha**

Líneas y bordes

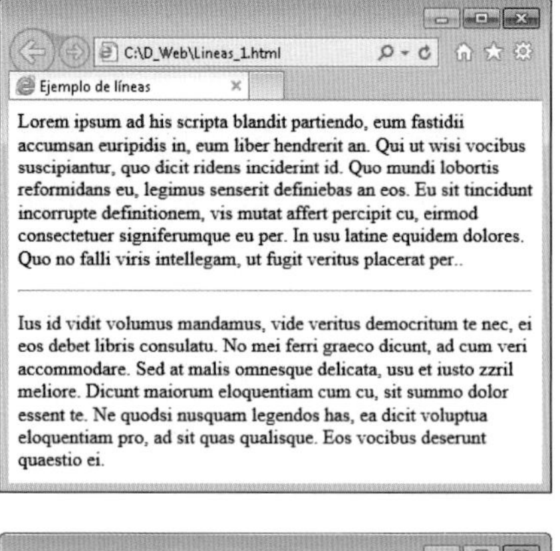

Para establecer una separación entre dos elementos de una página Web, se puede utilizar una línea o regla horizontal. Para ello, emplearemos la etiqueta **hr**, como en el siguiente ejemplo:

```
<p>Lorem ipsum ... placerat per.</p>
<hr />
<p>Ius id ... quaestio ei.</p>
```

Se puede especificar la anchura y el grosor de una línea o regla horizontal para crear diferentes diseños de separadores. Mediante el atributo **size** de la etiqueta, podremos establecer el grosor o altura de la línea en píxeles. Si lo que deseamos es que la regla horizontal no ocupe todo el ancho de la página Web sino una longitud determinada, emplearemos el atributo **width**, especificando una anchura en píxeles o en porcentaje respecto al total de la página. Por ejemplo:

```
<p>Distintos grosores de regla horizontal:</p>
<hr size="2"/>
<hr size="4"/>
<hr size="10"/>
<hr size="20"/>
<p>Distintos anchos para una regla horizontal:</p>
<hr />
<hr width="80%"/>
<hr width="50%"/>
<hr width="20%"/>
```

Para crear un marco o borde alrededor de una imagen en una página Web, utilizaremos el atributo **border** de la etiqueta **img**, especificando como valor para dicho atributo el grosor de la línea, como en el siguiente ejemplo:

```
<img src="sixtina.jpg" border="10"/>
```

Multimedia

HTML5 representa la revolución en los estándares del lenguaje en cuanto a contenido multimedia se refiere. Anteriormente, el soporte para reproducir archivos multimedia en nuestras páginas Web era limitado y problemático. Para incluir, por ejemplo, un archivo de audio en una página Web utilizábamos el mismo código que para la creación de cualquier otro tipo de hipervínculo, la etiqueta `a` con un atributo `href` donde especificaremos el nombre y la ubicación del archivo multimedia que deseamos reproducir. Por ejemplo:

```
<a href="musica.mp3">Haga clic aquí para reproducir la música</a>
```

En HTML, se introduce la etiqueta `<audio>`, para la que podemos especificar un archivo de audio a reproducir mediante su parámetro `scr`. Por ejemplo:

```
<audio src="ElBarrio.mp3" autoplay controls></audio>
```

El atributo `controls` muestra una interfaz con controles para la reproducción del archivo de audio.

Los principales navegadores soportan ya esta etiqueta en sus últimas versiones. Los formatos de archivo disponibles en cada navegador, varían, pero entre los más conocidos se encuentran Ogg Vorbis, WAV PCM, MP3, AAC y Speex. De forma similar, el elemento `<video>` de HTML permite reproducir fragmentos de vídeo en un página Web. Observe el siguiente ejemplo:

```
<video src="Bandera.mp4" controls width="360" height="240">
</video>
```

En este listado, el parámetro `controls` muestra los controles de reproducción del vídeo. Por su parte, los parámetros `width` y `height` establecen la anchura y la altura correspondientemente del área de la página Web donde se reproducirá el vídeo.

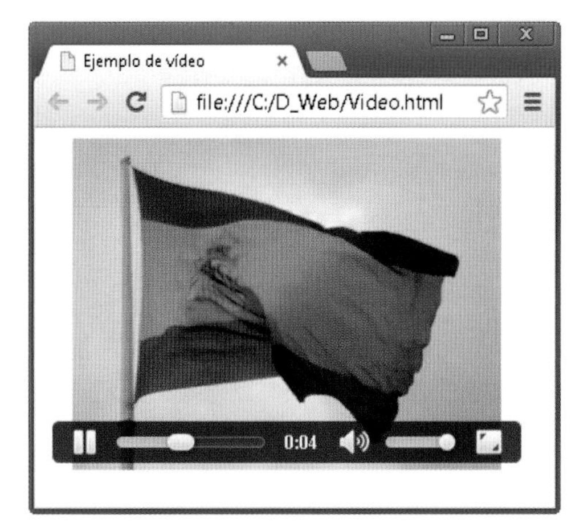

Listas

En una página Web podemos establecer dos tipos de listas principales, listas ordenadas (una serie de puntos que se deben definir en un orden concreto) o listas no ordenadas (listas cuyos elementos no guardan un orden determinado).

Para crear una lista ordenada, utilizaremos la etiqueta `ol`. A continuación, rellenaremos la lista con todos los elementos que deseemos utilizando para cada uno de ellos una etiqueta `li`, de la siguiente manera:

```
<p>Cómo llegar:</p>
<ol>
<li>Girar a la derecha.</li>
<li>Recorrer 300 metros.</li>
<li>Girar a la izquierda.</li>
<li>Girar a la derecha.</li>
</ol>
```

Para crear listas no ordenadas, utilizaremos la etiqueta `ul`, especificando nuevamente cada elemento mediante elementos `li`, como en el siguiente ejemplo:

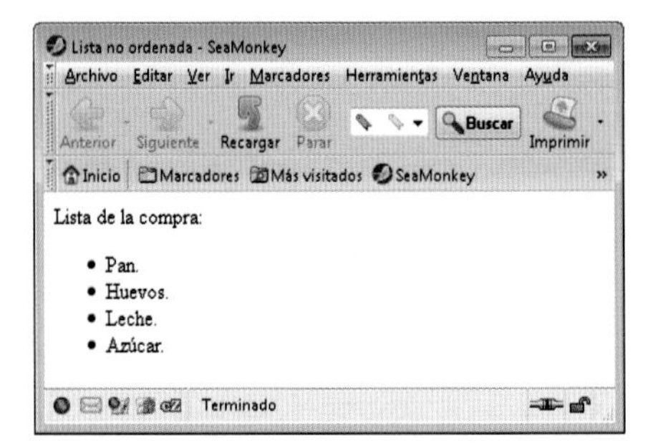


```
<p>Lista de la compra:</p>
<ul>
<li>Pan.</li>
<li>Huevos.</li>
<li>Leche.</li>
<li>Azúcar.</li>
</ul>
```

En una lista numerada u ordenada, podemos establecer cualquier valor de inicio distinto de 1 que deseemos. Para ello, emplearemos el atributo `start`, de la siguiente manera:

```
<p>Instrucciones adicionales:</p>
<ol start="5">
<li>Dirigirse a la escalera de la derecha.</li>
<li>Subir al quinto piso.</li>
<li>Llamar al timbre.</li>
<li>Preguntar por el Sr. Martínez.</li>
</ol>
```

Para crear una lista de definiciones, utilizaremos la etiqueta `dl`. Los distintos términos de la lista los etiquetaremos con el elemento `dt` y la definición correspondiente mediante la etiqueta `dd`. Aquí tiene un ejemplo:

```
<p>Lista de definiciones:</p>
<dl>
<dt>Amasadero</dt>
<dd>Local donde se amasa el pan.</dd>
<dt>Amasijo</dt>
<dd>Porción de harina amasada para hacer
pan.</dd>
<dd>Acción de amasar y de preparar o
disponer las cosas necesarias para
ello.</dd>
<dt>Amenazante</dt>
<dd>Que amenaza.</dd>
</dl>
```

Tablas

Una tabla permite representar información tabular o en forma de hoja de cálculo dentro de una página Web. El primer paso para la creación de una tabla en HTML/XHTML es definir la estructura de la misma mediante la etiqueta `table`:

```
<table></table>
```

Una vez definido el cuerpo de la tabla, utilizaremos etiquetas `tr` para definir cada una de las filas deseadas y etiquetas `td` para insertar celdas en dichas filas. Por ejemplo:

```
<table border="1" width="300">
   <tr>
      <td> </td>
      <td> </td>
   </tr>
   <tr>
      <td> </td>
      <td> </td>
   </tr>
   <tr>
      <td> </td>
      <td> </td>
   </tr>
   <tr>
      <td> </td>
      <td> </td>
   </tr>
</table>
```

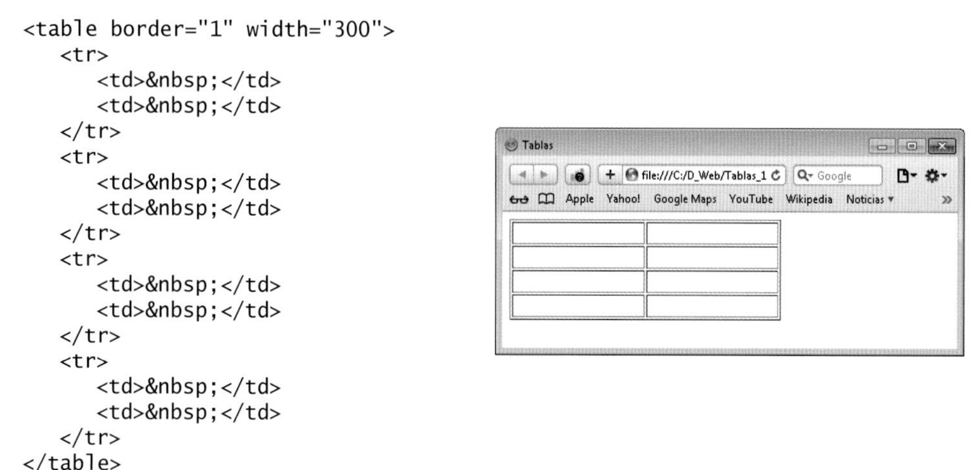

Si lo que queremos es definir una celda que contenga información de cabecera de la tabla, emplearemos la etiqueta `th`, en sustitución de la etiqueta `td` de una celda de tabla normal. Por ejemplo:

```
<table border="1">
   <tr>
      <th>Capital de provincia</th>
      <th>Temperatura máxima</th>
      <th>Temperatura mínima</th>
   </tr>
   <tr>
      <td>A Coruña</td>
      <td>17</td>
      <td>9</td>
   </tr>
   <tr>
      <td>Albacete</td>
      <td>12</td>
      <td>6</td>
   </tr>
   <tr>
      <td>Alicante</td>
      <td>16</td>
      <td>10</td>
   </tr>
</table>
```

Capital de provincia	Temperatura máxima	Temperatura mínima
A Coruña	17	9
Albacete	12	6
Alicante	16	10

El contenido de cada celda se introduce dentro de las etiquetas de apertura y cierre `<td>` y `</td>` o `<th>` y `<th>`. Sin embargo, este contenido no está limitado solamente a texto, sino que puede incluir imágenes, archivos multimedia o cualquier otro tipo de elemento habitual de una página Web.

Por ejemplo:

```
<table border="1">
   <tr>
      <th>Nombre del animal</th>
      <th>Fotografía</th>
   </tr>
   <tr>
      <td>Camaleón</td>
      <td><img src="01.jpg" /></td>
   </tr>
   <tr>
      <td>Pingüinos</td>
      <td><img src="02.jpg" /></td>
   </tr>
   <tr>
      <td>Tucán</td>
      <td><img src="03.jpg" /></td>
   </tr>
</table>
```

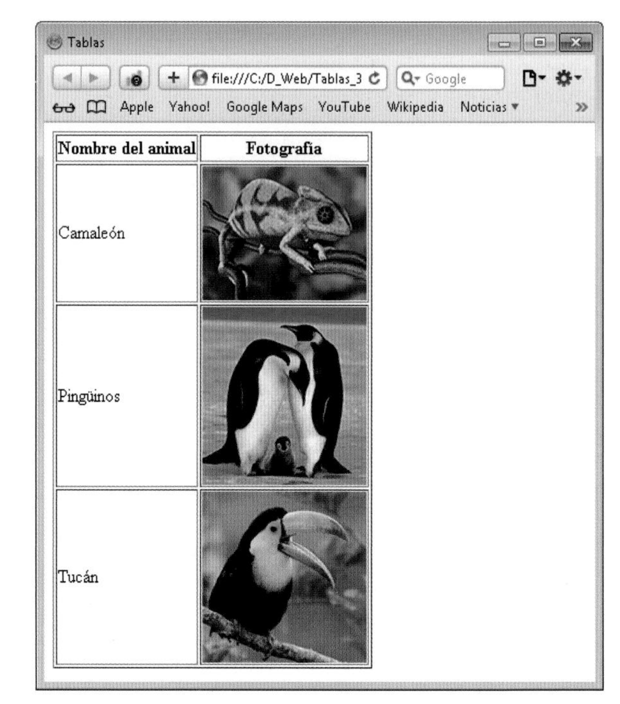

Los principales atributos disponibles para las filas de una tabla (para las etiquetas `tr`) son:

Atributo	Descripción	Valores disponibles
`align`	Especifica la alineación horizontal del contenido de la fila de celdas de la tabla	`left`; `center`; `right`; `justify`: y `char`.
`char`	Este atributo especifica un carácter determinado que sirve para la alineación del texto. Por defecto, es el signo de coma decimal que se utilice en el sistema donde se está representando la página	Cualquier signo de puntuación o carácter de alineación para los elementos de la tabla.
`valign`	Define la alineación vertical del contenido en la celda	`top`; `middle`; `bottom`; `baseline`.

Formularios

Un formulario se divide en tres componentes básicos: el contenedor del propio formulario que se define mediante la etiqueta `form` y que incluye la dirección del archivo de *script* encargado del procesamiento del formulario; los elementos del formulario propiamente dicho (etiquetas, cuadros de texto, botones de opción, etc.); y el botón **Enviar**, que es el que se encarga de enviar los datos del formulario al servidor.
Un ejemplo sencillo de formulario sería el siguiente:

```
<form method="post" action="procesar.php">
   <p>
   <label>Nombre:</label><br />
   <input name="Nombre" type="text" />
   </p>
   <p>
   <label>Apellidos:</label><br />
   <input name="Apellidos" type="text" />
   </p>
   <p>
   <input name="Enviar" type="submit" value="enviar" />
   </p>
</form>
```

`action` especifica el archivo donde se procesarán los datos del formulario cuando se envíen al servidor. En este caso, el archivo encargado de dicho proceso se llama `procesar.php` y está situado en la misma carpeta que la página Web donde se encuentra el formulario.
El contenido del formulario está compuesto por dos etiquetas de texto marcadas con la etiqueta `label`, cuyo objetivo es proporcionar una descripción del contenido que debe introducir el usuario en los cuadros de texto contiguos, definidos en esta ocasión mediante etiquetas `input`. Las etiquetas `input` tienen a su vez dos atributos. El primero de ellos, `name`, especifica un nombre mediante el que podemos hacer referencia al control y que nos servirá para recuperar su valor en el archivo de procesamiento del formulario. El segundo atributo, `type`, describe el tipo de información que contiene el campo, en esta ocasión, `text`, texto.
El último elemento `input` es el botón que sirve para enviar el formulario. Para que funcione como tal, su atributo `type` debe tener el valor `submit`. Observe también que el contenido del atributo `value` es el texto que se mostrará en el botón cuando se represente el formulario en el navegador Web.
El archivo `procesar.php` que procesa los datos del formulario, podría tener un aspecto sencillo como el que se muestra a continuación:

```
<?php
   if(isset($_POST['Enviar']))
   {
   echo "Nombre: ".$_POST['Nombre']."<br>";
   echo "Apellidos: ".$_POST['Apellidos']."<br>";
   }
?>
```

La sentencia `if(isset($_POST['Enviar']))` comprueba que se haya enviado el formulario haciendo clic sobre el botón al que hemos asignado en el formulario el nombre `Enviar`. Mediante las variables `$_POST['Nombre']` y `$_POST['Apellidos']` se recupera el contenido de los dos campos del formulario y, finalmente, el comando **echo** sirve para mostrar una cadena de texto en la página Web que se representa mediante el archivo de proceso `procesar.php`.

A continuación vemos una lista de las principales etiquetas para la creación de formularios HTML/XHTML y sus atributos más importantes:

- Formulario (contenedor), etiqueta `form`. Atributos: `action` y `method`.
- Controles de entrada o campos de un formulario (etiqueta `input`). Atributos: `alt`, `checked`, `disabled`, `maxlength`, `src`, `tabindex`, `type` y `value`.
- La etiqueta `select` permite crear un control de selección de opciones (lista normal o lista desplegable). Unida a esta etiqueta está `option`, mediante la cual definimos cada uno de los componentes de la lista. Por ejemplo:

```
<select name="Lista">
  <option>Elemento 1</option>
  <option>Elemento 2</option>
  <option selected="selected">Elemento 3</option>
  <option>Elemento 4</option>
</select>
```

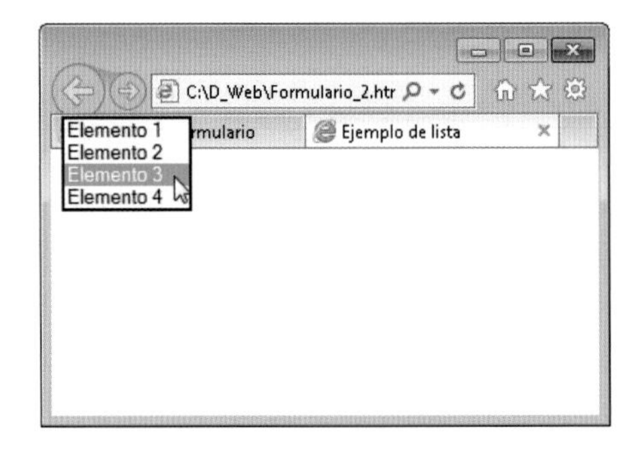

Los atributos y opciones disponibles para estas etiquetas son:

- `multiple` (`select`): especifica si el cuadro de lista admite la selección de varios elementos de forma simultánea.
- `size` (`select`): especifica el número de filas que se muestran en la lista (si se omite, se usa una lista desplegable).
- `selected` (`option`): si este atributo toma el valor `selected`, la lista mostrará dicha opción seleccionada por defecto.
- `value` (`option`): es el valor de la opción (si se omite, toma como valor el propio contenido).

- Un cuadro de texto con varias líneas se define mediante la etiqueta `textarea`. Sus principales atributos son:
  - `cols`: ancho visible del área de texto (medido en ancho medio de carácter).
  - `readonly`: prohíbe que se pueda cambiar el contenido del control.
  - `rows`: número de líneas visibles del control.

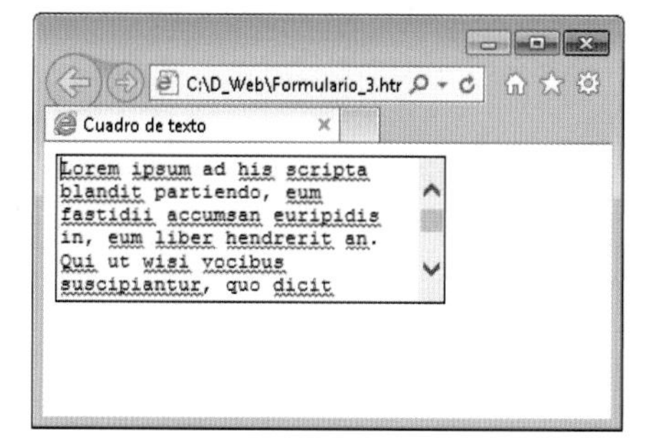

- La etiqueta `button` permite crear un botón en un formulario. Su atributo más importante es `type` que puede ser `button` (define un botón genérico), `submit` (que hace que el botón sea un botón de envío) y `reset` (que restablece el contenido del formulario).
- Para crear un grupo de opciones, se utiliza la etiqueta `fieldset`. La leyenda o título del grupo se establece dentro de las etiquetas `<fieldset>` y `</fieldset>` mediante la etiqueta `legend`. Igualmente, dentro de estas etiquetas se definirá cualquier control que se desee encerrar dentro del grupo, tal como los botones de opción del siguiente ejemplo:

```
<fieldset name="Grupo">
  <legend>Cuadro de grupo</legend>
  <input name="Opción1" type="radio" />
  <label>Opción primera</label><br />
  <input name="Opción2" type="radio" />
  <label>Opción segunda</label><br />
  <input name="Opción3" type="radio" />
  <label>Opción tercera</label><br />
</fieldset>
```

- Finalmente, la etiqueta `label` sirve para introducir etiquetas de texto asociadas a los distintos controles de un formulario para clarificar su función o contenido. Sus atributos son:
  - `accesskey`: define una tecla de acceso para el elemento.
  - `for`: permite especificar un identificador `id` del control asociado a la etiqueta.

C:\D_Web\Formulario_4.htr
Ejemplo de grupo
Cuadro de grupo
Opción primera
Opción segunda
Opción tercera

Bases de datos

La utilización de bases de datos en la Web nos permite crear sitios dinámicos donde la información que aparece en pantalla depende de las acciones que realiza el usuario y se almacena en el servidor para futuras referencias.

Un estudio en profundidad del diseño, la creación y la administración de bases de datos para la Web queda fuera del alcance de este libro. No obstante, existen actualmente algunas herramientas en el mercado que facilitan enormemente ésta y otras labores de gestión y administración de servidores Web y todas sus herramientas relacionadas. Uno de estos paquetes de software es XAMPP, un desarrollo de software libre formado principalmente por un gestor de bases de datos MySQL, un servidor Web Apache y los intérpretes para los lenguajes Perl y PHP. Para más información y para descargar el software, visite la Web `http://www.apachefriends.org/es/xampp.html`.

Una vez instalado XAMPP en nuestro sistema, dispondremos de una interesante herramienta para gestionar la creación y administración de nuestras bases de datos, entre otros aspectos. Abra su navegador preferido y escriba `http://localhost/phpmyadmin/` en la barra de direcciones. En el borde superior de la página que aparece en pantalla, hay una serie de botones que nos permitirán gestionar todos los detalles de nuestro sistema de gestión de bases de datos MySQL y de nuestro servidor Web. Haga clic sobre la ficha Bases de datos para acceder a la sección de gestión de bases de datos.

En esta nueva pantalla, aparece una lista con todas las bases de datos definidas en el sistema (las que nosotros creemos junto a las bases de datos predefinidas para el funcionamiento de la aplicación). Haciendo clic sobre cualquiera de estas bases de datos podremos modificar sus privilegios (haciendo clic en el icono de la derecha) o empezar a trabajar con ella (añadir tablas y campos, etc.).

En la parte superior de la página, podremos crear una base de datos nueva. Escriba su nombre en el cuadro de texto Crear base de datos y haga clic sobre el botón **Crear**.

Una vez creada la base de datos haga clic sobre su nombre en el panel izquierdo de la ventana de la aplicación o en la lista central de base de datos para acceder a su modo de edición. phpMyAdmin nos ofrece varias alternativas a través de las fichas o pestañas del borde superior de la página:

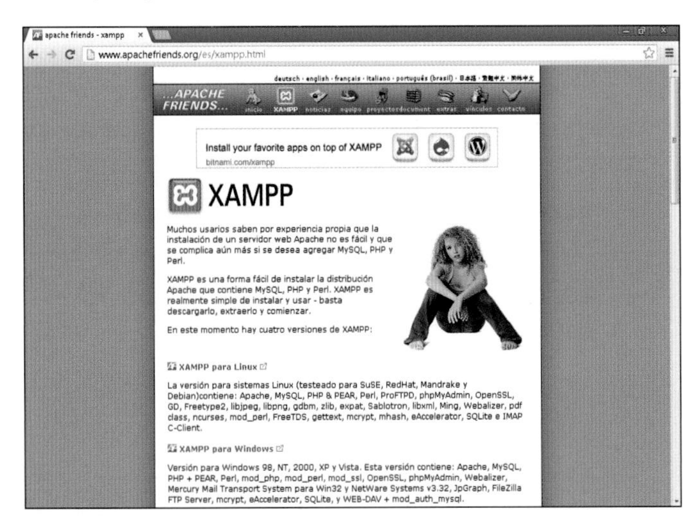

- **Estructura**: muestra las tablas contenidas en la base de datos, permite crear nuevas tablas y ofrece información y la posibilidad de realizar otras acciones sobre las tablas (examinar su contenido, examinar o modificar su estructura, buscar valores mediante una consulta, insertar o eliminar campos o eliminar la propia tabla.
- **SQL**: permite especificar una consulta SQL para ejecutar en la base de datos. El lenguaje de consultas SQL queda fuera del alcance de este libro.
- **Buscar**: sirve para realizar una búsqueda en la base de datos mediante palabras o valores o caracteres comodín. Se puede especificar el tipo de coincidencia que se desea localizar (al menos una de las palabras, la frase exacta, todas las palabras, una expresión regular) y definir en qué tabla o tablas realizar la búsqueda y dentro de qué campos.
- **Generar una consulta**: sirve para generar el código de una consulta SQL mediante la selección manual de campos, criterios y tipos de ordenación (generación QBE, según ejemplo, de una consulta SQL).
- **Exportar**: exportar las tablas de la base de datos a otros formatos: CSV, Excel, Word, PDF, XML, etc. Esta opción ofrece gran cantidad de control en el proceso de exportación.
- **Importar**: importar distintos formatos de archivo (CSV, SQL, Excel, etc.) a la base de datos actualmente seleccionada. También permite realizar una importación parcial.
- **Diseñador**: sirve para definir relaciones entre las tablas de la base de datos.
- **Más**: opciones complementarias, entre las que se incluyen:
    - **Operaciones**: recoge todas las operaciones de control de la base de datos, creación de nuevas tablas, añadir un comentario a la base de datos, cambiar el nombre de la base de datos, realizar una copia de la base de datos, etc.
    - **Privilegios**: muestra los usuarios y privilegios disponibles por defecto para la base de datos y permite añadir nuevos usuarios a la lista.
    - **Eliminar**: destruye por completo la base de datos actualmente seleccionada.

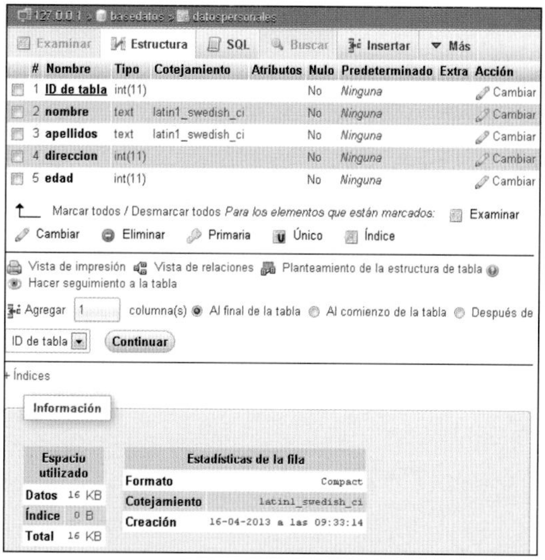
Examinar
Estructura
SQL
Buscar
Insertar
Más
Nombre Tipo Cotejamiento Atributos Nulo Predeterminado Extra Acción
1 ID de tabla int(11) No Ninguna Cambiar
2 nombre text latin1_swedish_ci No Ninguna Cambiar
3 apellidos text latin1_swedish_ci No Ninguna Cambiar
4 direccion int(11) No Ninguna Cambiar
5 edad int(11) No Ninguna Cambiar
Marcar todos / Desmarcar todos Para los elementos que están marcados: Examinar
Cambiar Eliminar Primaria Único Índice
Vista de impresión Vista de relaciones Planteamiento de la estructura de tabla
Hacer seguimiento a la tabla
Agregar 1 columna(s) Al final de la tabla Al comienzo de la tabla Después de
ID de tabla Continuar
Índices
Información
Espacio utilizado
Datos 16 KB
Índice 0 B
Total 16 KB
Estadísticas de la fila
Formato Compact
Cotejamiento latin1_swedish_ci
Creación 16-04-2013 a las 09:33:14

Una vez que disponemos de una base de datos, con sus tablas, campos y registros correspondientes, es muy sencillo consultar dichos datos en una página Web utilizando el lenguaje PHP.

Capas

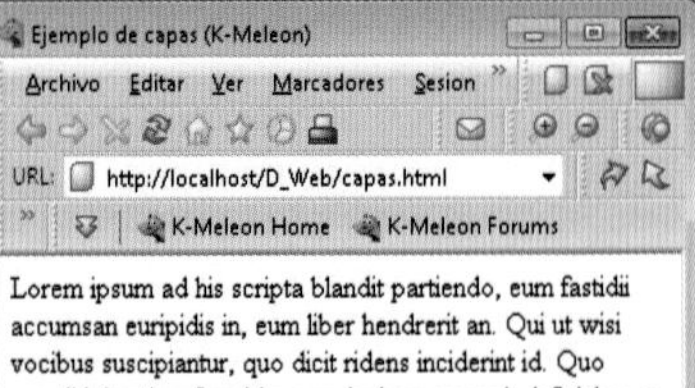

Una capa es un contenedor de elementos HTML, un recipiente donde se puede introducir texto, imágenes, tablas, formularios o, incluso, otras capas, como en cualquier otro punto de un documento Web.

Luego, estas capas se podrán colocar sobre la página Web de manera dinámica, con un posicionamiento absoluto o relativo a los límites de dicha página, solapándose unas con otras, etc.

Para definir una capa en HTML/XHTML, se utiliza la etiqueta `div`, como en el siguiente ejemplo:

```
<div id="capa">
<p>Esta capa contiene una línea de texto y una imagen.</p>
<img src="imagen.jpg" />
</div>
```

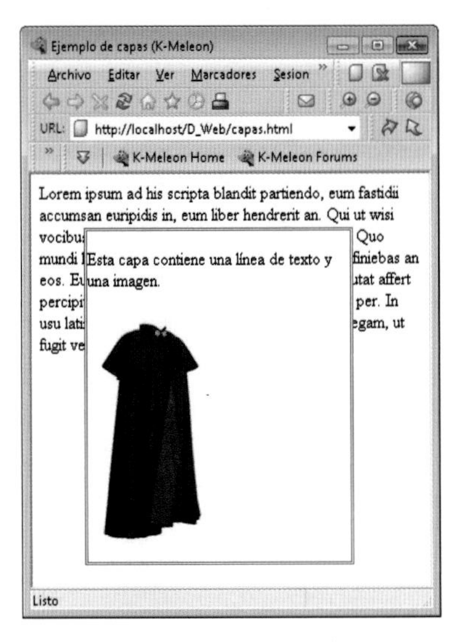

A simple vista, la capa puede no diferenciarse del resto de la página Web. Una capa empezará a mostrar todo su potencial cuando utilicemos una hoja de estilos en cascada CSS para darle formato y colocarla como deseemos en la página Web. Por ejemplo:

```
<style type="text/css">
#capa {
   background-color: #FFFFFF;
   border-style: double;
   border-color: #FF0000;
   position: absolute;
   left: 50px;
   top: 50px;
   width: 250px;
}
</style>
```

Los principales atributos de la etiqueta `div` son:

Atributo	Descripción
`class`	Asigna un nombre de clase a la capa. También se puede asignar una lista de nombres separados por espacios.
`id`	Asigna un identificador a la capa para hacer referencia a ella.
`lang`	Especifica el lenguaje que se utiliza en el elemento.
`title`	Contiene una descripción de la capa que se muestra cuando se sitúa sobre ella el puntero del ratón.

Marcos

El uso de marcos permite dividir el espacio disponible en la ventana del navegador Web en distintos espacios donde se pueden mostrar distintos elementos de información, distintas páginas Web que se actualizan de manera independiente unas de las otras. Para crear una página de marcos (el contenedor donde se colocarán el resto de las páginas) utilizamos las etiquetas de apertura `<frameset>` y de cierre `</frameset>` en sustitución de las etiquetas <body> y </body> que componen habitualmente el cuerpo general de la página Web. Dentro de este par de etiquetas, especificaremos tantos elementos `frame` como marcos (o sub-páginas) deseemos establecer. La página a colocar en cada uno de los marcos (`frame`) se define mediante el atributo `src` ya conocido.

Algunos navegadores, pueden tener desactivada la presentación de marcos. Para que el usuario no quede desconcertado ante la falta de contenido en su página Web, se suele añadir una sección etiquetada mediante `<noframes>` y `</noframes>`, con el contenido que aparecerá en el navegador en caso de que éste no admita la presentación de marcos.

Un ejemplo sencillo de todo esto puede ser:

```
<frameset rows="*,*">
   <frame name="arriba" src="marco1.htm">
   <frame name="abajo" src="marco2.htm">
   <noframes>
   <body>
   <p>Esta página utiliza marcos, pero su
   explorador no las admite.</p>
   </body>
   </noframes>
</frameset>
```

Los principales atributos de la etiqueta `frameset` son:

- `rows`: especifica la distribución de los marcos en sentido horizontal (filas).
- `cols`: especifica la distribución de los marcos en sentido vertical (columnas).

Por su parte, la etiqueta `frameset` se caracteriza por los siguientes atributos:

- `frameborder`: puede tomar los valores `1` y `0`, que indican respectivamente si el marco debe mostrar o no un borde alrededor.
- `marginheight`: márgenes superior e inferior.
- `marginwidth`: márgenes a izquierda y a derecha.
- `noresize`: si toma el valor `noresize` significa que el navegador no permitirá que se redimensione el marco.
- `scrolling`: toma los valores `yes` (sí), `no` y `auto` (automático) que indica si se deben mostrar o no barras de desplazamiento cuando el contenido supera los límites disponibles en el marco.
- `src`: especifica la dirección URL de la página que se muestra en el marco.

Formato de texto

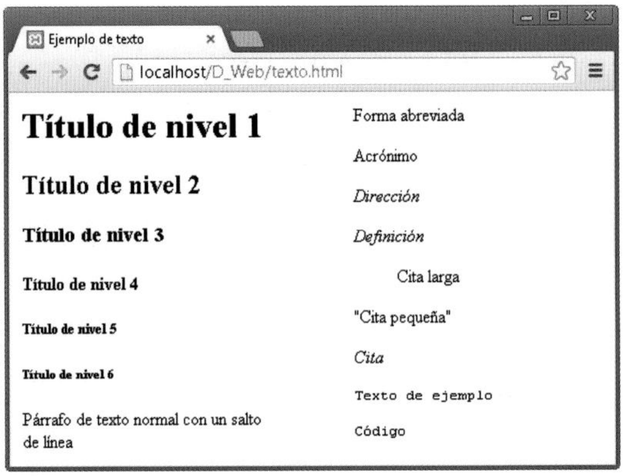

En casi cualquier página Web, el texto es uno de los principales componentes, bien sea como contenido informativo de la página, formando parte de los componentes del sistema navegación, describiendo los hipervínculos del documento, etc.

Ya vimos anteriormente la manera de escribir títulos de diferentes tamaños mediante las etiquetas <h*n*></h*n*>, de especificar párrafos en un documento de texto mediante las etiquetas <p></p>, de forzar saltos de línea con la etiqueta <br /> y de definir diferentes tipos de párrafos mediante las etiquetas **abbr**, **acronym**, **address**, etc. Dentro de un fragmento de texto (como por ejemplo, un párrafo de texto definido mediante las etiquetas <p> y </p>, se pueden utilizar a su vez una gran variedad de etiquetas adicionales para especificar el estilo de un texto determinado (negrita, subrayado, cursiva, etc.). Las opciones disponibles son:

Etiqueta	Descripción
<b></b>	Tipografía en negrita.
<i></i>	Tipografía en cursiva.
<b><i></i></b>	Negrita y cursiva.
<u></u>	Texto subrayado.
<em></em>	Texto enfatizado.
<strong></strong>	Tipografía gruesa o black.
<tt></tt>	Texto en forma de teletipo.
<big></big>	Texto de tamaño grande.
<small></small>	Texto de tamaño pequeño.
	Subíndice.
	Superíndice.
<blink></blink>	Texto que parpadea.
<strike></strike>	Texto tachado.

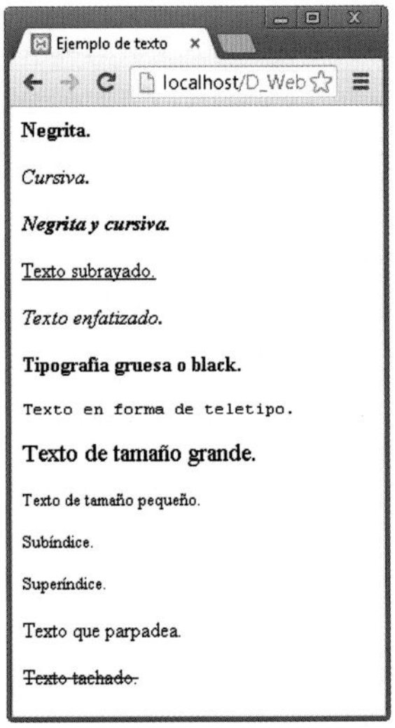

En versiones antiguas de HTML, existían varios tipos de etiquetas y atributos que permitían dar formatos específicos a fragmentos de texto y a párrafos enteros. Estos formatos están obsoletos hoy en día, ya que las especificaciones más modernas del W3C indican que deberían establecerse estos formatos por mediación de hojas de estilo en cascada CSS3. No obstante, conviene que conozca dichos formatos para el caso de que necesite llevar a cabo el mantenimiento de alguna página o sitio Web antiguo, que deba actualizar un sitio Web a las últimas especificaciones del W3C, etc.

Para dar formato a un fragmento de texto, podemos utilizar la etiqueta `<font>`. Habitualmente se trabaja incluyendo la etiqueta de inicio `<font>` al principio del bloque de texto que se desea formatear y la etiqueta de cierre `</font>` en el punto donde se desea dar por finalizada la operación de formato y regresar al formato de texto normal.

Luego, se pueden especificar los siguientes atributos a la etiqueta para modificar diferentes aspectos de formato:

- `size`: especifica el tamaño de la letra mediante un valor fijo (por ejemplo 2 ó 4) o mediante un valor relativo de crecimiento o disminución respecto al tamaño actual de la letra (por ejemplo, +4 o -2).
- `face`: define el tipo de letra del fragmento de texto mediante el nombre de la fuente correspondiente (por ejemplo, Times New Roman, Arial, Courier New, etc.) Pueden especificarse varias fuentes al mismo tiempo separando sus nombres mediante comas. De esta manera, si el ordenador donde se visualiza la página Web no tiene disponible la primera de las fuentes especificadas se probará con la segunda y, así, sucesivamente.

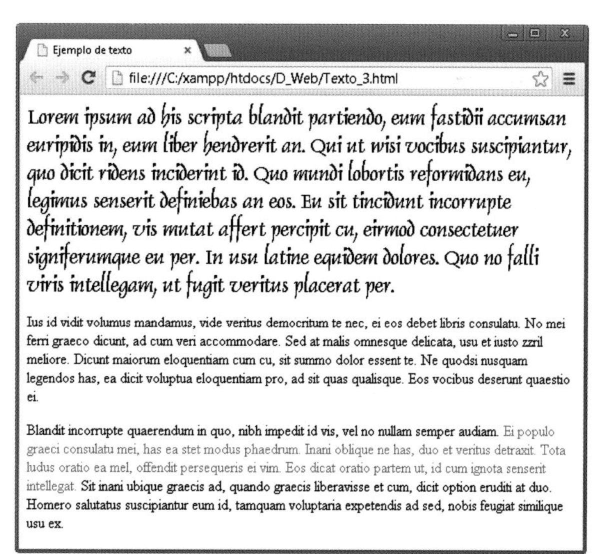

- `color`: cambia el color del texto. Existen varias formas de especificar un color en un documento Web. Para más información sobre el color, consulte el capítulo 5.

Respecto al formato de párrafos enteros, el principal atributo que podemos utilizar dentro de una etiqueta de párrafo `<p>` es `align`, que puede tomar los siguientes valores:

- `left`: alineación del párrafo a la izquierda (el lateral derecho del texto queda alineado de forma irregular o con alineación en bandera).
- `right`: el párrafo se alinea a la derecha (esta vez, es el lateral izquierdo el que queda alineado de forma irregular o en bandera).
- `center`: alineación centrada (ambos laterales quedan alineados de forma irregular y las distintas líneas de texto se alinean alrededor de sus ejes centrales.
- `justify`; ambos laterales alineados o justificados.

Formato de imágenes

En un documento Web, es posible insertar imágenes mediante la etiqueta `img`. Los principales atributos que dan forma a una imagen en una página Web son:

- `src`: la dirección URL de la imagen que se desea mostrar.
- `align`: especifica la forma de distribuir texto alrededor de una imagen. Los valores disponibles son: `left`, `right`, `top`, `middle` y `bottom`.
- `alt`: muestra un texto alternativo cuando el navegador no está configurado para mostrar imágenes o en navegadores para usuarios con discapacidades visuales.
- `longdesc`: especifica la dirección URL de un archivo con una descripción detallada de la imagen para navegadores adaptados para funciones de accesibilidad.
- `border`: valor en píxeles de un borde o marco que se muestra alrededor de la imagen. Si se omite, el grosor del borde es cero (sin borde).
- `width` y `height`: permiten especificar respectivamente la anchura y la altura de la imagen. Especifique solamente una de las dimensiones para modificar el tamaño original de la imagen, ampliándolo o reduciéndolo. Si especifica ambos valores, podrá deformar la imagen respecto a sus proporciones originales.

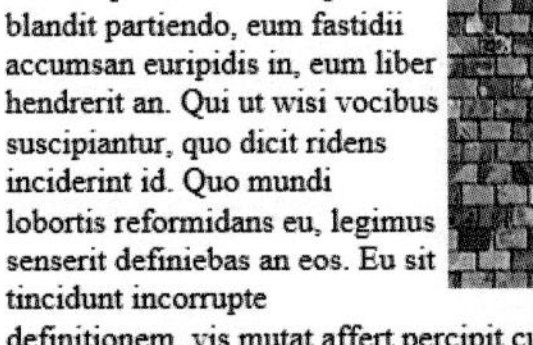

Lorem ipsum ad his scripta blandit partiendo, eum fastidii accumsan euripidis in, eum liber hendrerit an. Qui ut wisi vocibus suscipiantur, quo dicit ridens inciderint id. Quo mundi lobortis reformidans eu, legimus senserit definiebas an eos. Eu sit tincidunt incorrupte definitionem, vis mutat affert percipit cu, eirmod consectetuer signiferumque eu per. In usu latine equidem dolores. Quo no falli viris intellegam, ut fugit veritus placerat per.

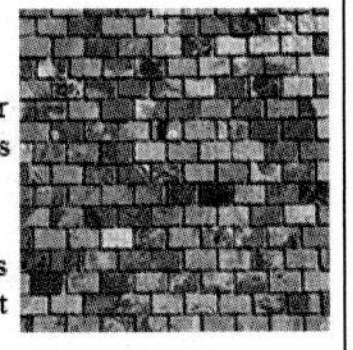

```
<p><img src="img02.jpg" align="right" />
Lorem ipsum ... placerat per.</p>

<img src="img03.jpg" />
<img src="img03.jpg" width="100px" />
<img src="img03.jpg" width="300px" height="100px"/>

<img src="img04.jpg" border="6px" />

<img src="img05.jpg" alt="Texto alternativo:
imagen de una valla" />
```

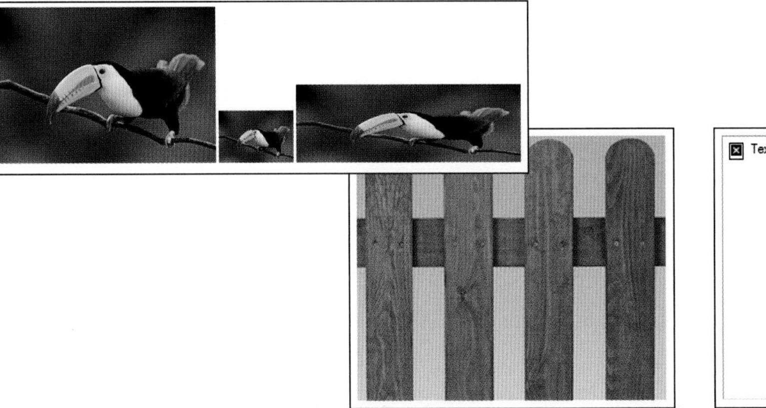

Texto alternativo: imagen de una valla

Formatos de página

La etiqueta **body** representa a la página completa de un documento HTML5. Si queremos modificar las características de la página, podremos utilizar los siguientes atributos:

Atributo	Descripción
`bgcolor`	Especifica un color de fondo para la página. Consulte el capítulo 5 para más información sobre el color.
`background`	Permite especificar una imagen como fondo de la página.
`text`	Define el color del texto en la página.
`link`	Define el color de los hipervínculos que no han sido visitados.
`vlink`	Define el color de los hipervínculos visitados.
`alink`	Define el color del hipervínculo actualmente activo.
`leftmargin`, `topmargin`	Especifica el margen izquierdo y superior respectivamente, es decir, la posición donde empezará a mostrarse el primer elemento de la página (texto, imagen, etc.). En navegadores basados en Netscape, estos atributos son `marginwidth` y `marginheight`.

<body bgcolor="teal">

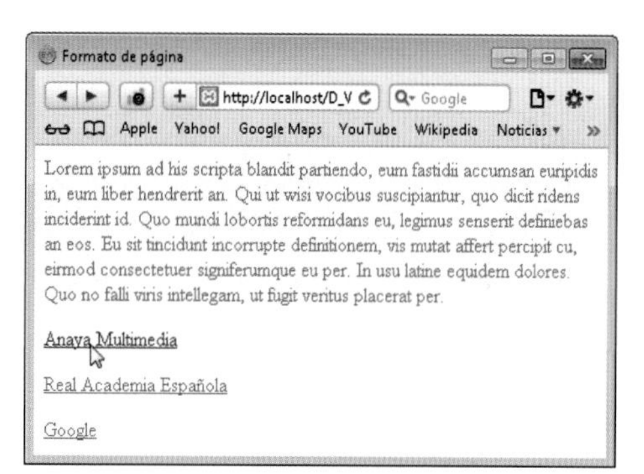

<body text="green" link="red" vlink="fuchsia" alink="maroon">

<body background="fondo.jpg">

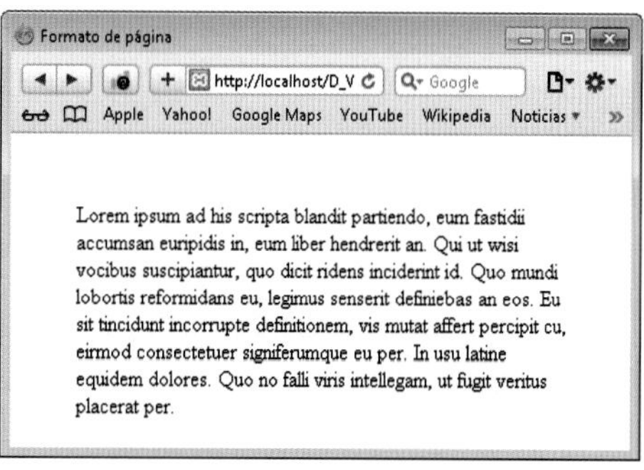

<body marginheight=50 marginwidth=50>

CSS3

CSS, son las siglas de *Cascading Style Sheets* (hojas de estilo en cascada). Se trata de un lenguaje que se emplea para dar formato a una página Web, un documento HTML5/XHTML. Las especificaciones de este lenguaje, al igual que las propias de HTML5/XHTML, están a cargo del consorcio del W3C. El propósito final de CSS3 es conseguir un desarrollo Web en el que la estructura de un documento (las etiquetas del documento, los contenidos, las imágenes,...) esté separada de su formato o presentación (del que se encargará el código CSS3). En HTML5, especificamos los distintos tipos de elementos mediante etiquetas específicas (como por ejemplo `<h1>` para un título o `<p>` para un párrafo de texto), pero estas etiquetas ya no deben incluir atributos que definan el formato de dichos elementos (como por ejemplo el tipo de letra, su tamaño, color, etc.)

Las ventajas de utilizar CSS3 para dar formato a un documento Web son las siguientes:

- En un mismo archivo CSS3 se puede almacenar la información para dar formato a todo un sitio Web de manera centralizada, lo que facilita las labores de actualización y mantenimiento del mismo.
- Mejora la accesibilidad, ya que cada usuario particular puede especificar su propia hoja de estilos local aplicable a su copia del navegador (por ejemplo, un usuario con discapacidad visual podría especificar en su hoja de estilo local un tamaño de letra mayor).
- Podemos ofrecer diferentes hojas de estilo para una misma página según el tipo de dispositivo en el que queramos mostrarla (un dispositivo móvil como la pantalla de un teléfono o un navegador en un ordenador de sobremesa) o según cómo queramos trabajar con dicha página (por ejemplo, utilizar una hoja de estilos para mostrar la página por pantalla y otra diferente para imprimirla).
- Al separar el formato en un archivo CSS3, el código HTML5/XHTML es más claro, más fácil de comprender y de mantener y se reduce considerablemente su tamaño.

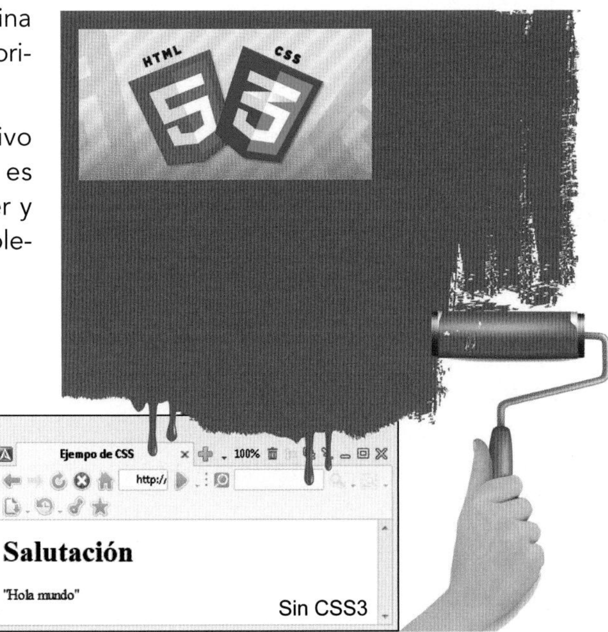

Formas de aplicar reglas CSS3

Existen tres formas diferentes de aplicar estilos CSS3 a una página Web. Las tres proporcionan idénticos resultados, pero difieren entre sí por sus ventajas o inconvenientes en determinados escenarios y circunstancias.

Aplicar un formato CSS3 *en línea* nos permite actuar sobre un elemento individual en una página Web. No es un procedimiento muy aconsejable, ya que contradice el objetivo final de las hojas de estilo CSS3 de separar la estructura de una página Web de su formato o representación. Un estilo CSS3 en línea se aplica como un atributo de una etiqueta HTML5/XHTML específica, utilizando en este caso el atributo `style` y una lista de los estilos que se desean aplicar separados por símbolos de punto y coma.

```
<p>Lorem ipsum ... placerat per.</p>
<p style="font-family:Times New Roman, Times, serif; font-size:large;
color:purple">Ius id vidit ... quaestio ei.</p>
<p>Blandit incorrupte ... similique usu ex.</p>
```

Una hoja de estilo interna es un conjunto de formatos CSS3 incrustados dentro de una página HTM5L. Todos los formatos definidos en esta hoja de estilo se aplicarán a la página en la que se encuentran. De esta manera, se cumple con el objetivo de separar estructura y representación, pero los estilos definidos en la página Web serán específicos de dicha página y no se aplicarán al resto de las páginas de un sitio Web. Para incrustar una hoja de estilos CSS3 en un documento Web, escriba las etiquetas `<style type="text/css"></style>` dentro de la sección `head` de la página y, en su interior, escriba el código correspondiente. Por ejemplo:

```
<head>
<meta http-equiv="Content-Type" content="text/html; charset=utf-8" />
<title>Sin título 1</title>
<style type="text/css">
p {
   font-family: "Times New Roman", Times, serif;
   font-size: large;
   color: purple;
}
</style>
</head>
```

El tercer y último método consiste en crear una hoja de estilo externa, un documento de texto donde se almacena el código CSS3 que da formato a los elementos de una página. Luego, en cada página donde se desee aplicar dicho formato, habrá que introducir la siguiente referencia al archivo de la hoja de estilo dentro del a sección `head`:

```
<link rel="stylesheet" type="text/css" href="estilo.css" />
```

donde *`estilo.css`* es el nombre y la dirección del archivo que contiene la hoja de estilos.

Selectores

Una regla CSS3 tiene la siguiente estructura genérica:

```
selector {
   propiedad: valor;
   propiedad: valor;
   ...
}
```

donde `selector` representa el elemento de una página al que se aplicará el formato especificado por la regla y, a continuación, entre los símbolos { y } se introduce una lista de propiedades separadas por punto y coma en forma de pares *propiedad- valor*. Existen numerosos tipos de selectores. Entre los principales se encuentran:

Selectores de tipo

Son los selectores que representan a los elementos o etiquetas del lenguaje HTML/XHTML, como por ejemplo `h1` o `p`. Un ejemplo de reglas CSS3 con selectores de tipo podría ser:

```
h1 {
   color: red;
}
```

Selectores de clase

Aplican la misma regla CSS3 muchas veces a diferentes elementos. En el código HTML, se especificarán los lugares donde se desea aplicar la regla con un atributo `class` y el nombre del selector. En la regla CSS3, se escribirá un punto seguido del nombre del selector.

Selectores ID

Son como selectores de clase, pero se pueden aplicar una sola vez en una página Web. Para aplicar una regla con un selector ID, se debe especificar un atributo `id` en una etiqueta HTML de la página con un nombre que sea único. Luego, se creará la regla CSS3 de la manera habitual precediendo en este caso el nombre del selector de un símbolo #.

Selectores descendientes

Generalmente están compuestos por dos elementos, donde el segundo es descendiente del primero. Por ejemplo, el selector `li a` se aplicará a todos los hipervínculos (`a`) que haya dentro de los elementos de una lista (`li`). Por ejemplo:

```
li a {
   text-decoration: none;
}
```

Selectores hijo

El estilo se aplicará a los elementos que sean descendientes directos de su elemento padre. Por ejemplo, el selector `p > strong` se aplicará a los elementos que estén marcados con la etiqueta `strong` inmediatamente dentro de un elemento `p` (sin ninguna otra etiqueta entre medias. `p > strong {text-decoration: underline;}` subrayará el texto marcado con `strong` en una estructura `<p>...<strong>...` pero no en `<p>...<i>...<strong>...`

Selectores universales

Se representan mediante un asterisco y se aplican a todos los elementos. Por ejemplo: `* {color: orange;}`

Selectores hermanos adyacentes

Describen la relación entre dos elementos que están uno al lado del otro en el flujo del código de una página Web. Este tipo de selectores se especifican mediante un símbolo +. `li + li {color: purple;}` se aplica a los elementos de una lista a partir del segundo elemento, es decir, a todos los elementos que tienen antes que él otro elemento hermano igual.

Selectores de atributo

Se aplican a los atributos de las etiquetas de un documento Web. Pueden tomar cuatro formas diferentes:

- `[atributo]`. Se aplican cuando aparece dicho atributo en una etiqueta HTML. Por ejemplo, `a[href]` se aplica a todas las etiquetas `a` donde aparece el atributo `href`.
- `[atributo=valor]`. Se aplica a las etiquetas con un determinado atributo que toma un determinado valor. Por ejemplo, `img[title="foto"]` se aplica a todas las imágenes cuyo título sea `foto`.
- `[atributo~=valor]`. Se aplica a las etiquetas con un determinado atributo que tiene como valor una lista de palabras separadas por espacios una de las cuales toma el valor `valor`.
- `[atributo|=valor]`. Se aplica a las etiquetas con un atributo que tiene como valor una lista de palabras separadas por guiones una de las cuales toma el valor `valor`.

Seudo-clases y seudo-elementos

No hacen referencia a elementos propiamente dichos del código HTML, sino a su organización o estado dentro de un elemento (la primera letra de un párrafo, un vínculo visitado, etc.) Van precedidos de dos puntos y se asocian a su elemento HTML correspondiente. Las seudo-clases disponibles son: `:first-child`, `:link`, `:visited`, `:hover`, `:active`, `:focus` y `:lang` y los seudo-elementos: `:first-letter`, `:first-line`, `:before` y `:after`.

Prioridad de las reglas

En ocasiones, diferentes reglas CSS3 en una página Web pueden contradecirse entre sí o definir estilos diferentes para los mismos elementos (por ejemplo, las mismas reglas definidas en el navegador, por el usuario y por el desarrollador o las mismas reglas en una hoja de estilo externa, interna o un estilo en línea o reglas definidas mediante distintos selectores que se solapan). Por ello, es de vital importancia conocer el orden de precedencia o prioridad de las diferentes reglas, lo que nos ayudará a saber qué estilo se aplicará en cada momento.

- En primer lugar, las reglas CSS3 que se definen en el navegador se anulan con las reglas específicas que haya establecido el usuario y éstas, a su vez, se anulan con las reglas definidas por el desarrollador en hojas de estilo externas, internas o reglas en línea.
- Una regla en línea anula los mismos estilos definidos en una hoja de estilos interna (declarada en la sección **head** de la página) y ésta a su vez, anula cualquier regla equivalente que se haya definido en una hoja de estilo externa). Por ejemplo:

```
<style type="text/css">
p {
  color: blue;
}
</style>
...
<body>
<p>Lorem ipsum ... placerat per.</p>
<p style="color: red">Ius id vidit ...
quaestio ei.</p>
<p>Blandit incorrupte ...
similique usu ex.</p>
</body>
```

Prioridades

- Los selectores ID anulan las reglas establecidas en selectores de clase que, a su vez, anulan las de selectores contextuales que, a su vez, prevalecen sobre los selectores normales.
- A igual prioridad, prevalece la regla definida con posterioridad.
- Si queremos que una determinada regla prevalezca sobre otras equivalentes aunque su prioridad sea menor, podemos utilizar la palabra reservada `!important`. Por ejemplo:

```
<style type="text/css">
p {
  color: blue !important;
}
</style>
...
<body>
<p>Lorem ipsum ... placerat per.</p>
<p style="color: red">Ius id vidit ... quaestio ei.</p>
<p>Blandit incorrupte ... similique usu ex.</p>
</body>
```

El modelo de caja

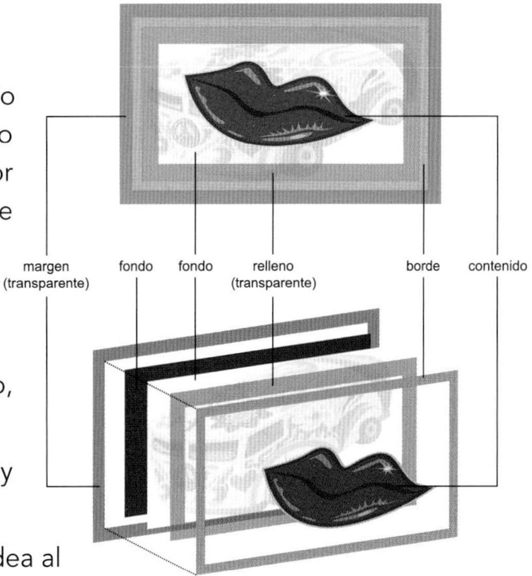

El modelo de caja CSS3 propuesto por el consorcio del W3C pretende definir el modelo de formato mediante el cual se muestran en el navegador los diferentes elementos de una página Web. De esta manera, todo elemento de bloque, como puede ser un párrafo, un encabezado o una imagen, está compuesto por cuatro secciones:

- **Contenido:** es el contenido real del elemento, texto, una imagen, una capa, etc.
- **Relleno:** es el área que rodea al contenido y que lo separa del borde.
- **Borde:** es la siguiente capa exterior que rodea al relleno y conforma el borde del modelo de caja.
- **Margen:** es un cuadro transparente que empieza en el extremo exterior del borde y que se expande a partir de él.

Con un código como el siguiente, creamos un contenedor `div` cuadrado de 300 píxeles de lado, le asignamos un color de fondo gris e introducimos en su interior una imagen. Observe que la imagen está pegada a los bordes superior e izquierdo del contenedor.

```
<style type="text/css">
div {
   height: 300px;
   width: 300px;
   background-color:silver;
}
</style>
...
<div>
   <img src="figura.jpg" />
</div>
```

Para separar el contenido del contenedor, añadiremos un relleno mediante la propiedad `padding: 10px;`. Observe también que el valor del relleno se suma a las dimensiones de la caja. La mancha gris ahora es un cuadrado de 320 píxeles de lado. Luego, establecemos un valor de margen para la caja mediante la propiedad `margin`. Todo el contenido se desplaza respecto a los bordes de la ventana del navegador:

```
div {
   height: 300px;
   width: 300px;
   background-color:silver;
   padding: 10px;
   margin: 25px;
}
```

Tipografía y fuentes

Para especificar un tipo de letra para un elemento HTML/XHTML, utilizaremos la propiedad `font-family` en CSS, seguida de una lista de nombres de fuentes separados entre sí por comas (si el nombre de la fuente incluye espacios, enciérrelo entre comillas). Cuando el navegador empiece a representar una página con una regla de este tipo, intentará localizar la primera fuente definida en la lista y, en caso de no encontrarse instalada en el sistema, pasará a la siguiente. Conviene especificar siempre un tipo de letra genérico al final de esta lista, para asegurarnos de que nuestras páginas se representan correctamente. Los tipos genéricos de familias de fuentes son: `serif` (por ejemplo, Georgia o Times New Roman, `sans-serif` (como Verdana o Arial), `monospace` (Courier o Courier New), `cursive` (Lucida Handwriting y Zapf-Chancery) y `fantasi` (como Comic Sans o Cottonwood).

```
body {
   font-family: "Comic Sans MS", Whimsey, Critter, Cottonwood, fantasy;
}
```

Para especificar el tamaño de letra, se utiliza la propiedad `font-size`. Se puede utilizar una medida de longitud fija: pulgadas (`in`), centímetros (`cm`), milímetros (`mm`), puntos (`pt`) o picas (`pc`) o unidades relativas: `em`, altura de la letra x (`ex`) o píxeles (`px`). También se puede emplear porcentajes, que representan un tamaño de letra relativo al tamaño predeterminado y las palabras clave `xx-small`, `x-small`, `small`, `medium`, `large`, `x-large` y `xx-large` que establecen también tamaños relativos en esta ocasión predefinidos.

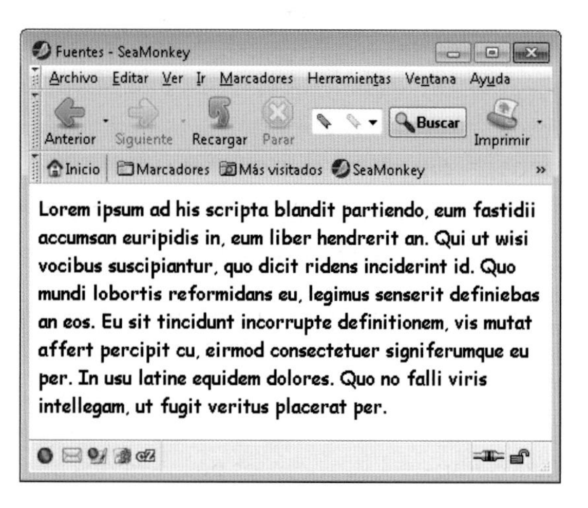

Otros formatos de fuente de utilidad son: `font-style` (para definir texto en cursiva, `italic`, normal, `normal` u oblicuo, `oblique`); `font-variant` (para texto en versalitas, `small-caps`); `font-weight` (para definir el grosor del texto, `bold`, `lighter`, `bolder`, etc.).

Finalmente, algunos formatos de párrafo interesantes son:

- `text-align`: alinea el texto de un párrafo: `center`, `justify`, `left`, `right`.
- `text-indent`: establece un valor de sangría para el párrafo.
- `text-transform`: cambia de combinación de mayúsculas y minúsculas: `capitalize`, `lowercase`, `none`, `uppercase`.
- `line-height`: establece el espaciado entre líneas.
- `word-spacing`: define el espaciado entre palabras.

Formato de imágenes

Para colocar un borde alrededor de una imagen con CSS3, utilizaremos el atributo **border**, de la siguiente manera:

```
img {
   border: 6px double navy;
}
```

El primer valor de **border**, establece el grosor del borde, seguido del tipo de borde que deseamos utilizar: **dashed**, **dotter**, **double**, **groove**, **hidden**, **inset**, **none**, **outset**, **ridge** o **solid**.

Se puede especificar un valor distinto para cada uno de los bordes de una imagen sustituyendo la propiedad **border** por sus equivalentes **border-left**, **border-right**. **border-top** y **border-bottom**.

Para establecer una imagen como fondo de una página Web, utilizaremos la propiedad **background-image** para la etiqueta **body**. Como valor de esta propiedad, utilizaremos la función **url** y el nombre del archivo que contiene la imagen que deseamos mostrar, en la forma: **url('*archivo*')**. También podemos acompañar esta propiedad de **background-repeat**, que define si la imagen que queremos colocar de fondo debe ser única (**no-repeat**), repetirse a lo largo y ancho de toda la página (**repeat**) o repetirse solamente en una dirección (**repeat-x** o **repeat-y**). Por ejemplo:

```
body {
   background-image: url('fondo.jpg');
   background-repeat: repeat;
}
```

Normalmente, cuando colocamos como fondo de página una imagen sencilla (que no se repite) ésta desaparece cuando nos desplazamos por una página de gran tamaño que excede los límites del espacio disponible en la ventana del navegador. Si desea que la imagen permanezca fija respecto a la ventana del navegador (es decir, que se siga viendo cuando se desplaza el contenido de la página, establezca la propiedad **background-attachement** como **fixed**.

Si lo desea, también puede especificar un desplazamiento para la imagen respecto a la esquina superior derecha del navegador. Este valor de desplazamiento puede ser negativo, con lo que se conseguirá un bonito efecto de aparición de la imagen por los límites de la ventana. Por ejemplo:

```
body {
   background-image: url('fondo.jpg');
   background-repeat: no-repeat;
   background-attachment: fixed;
   background-position: -50px -50px;
}
```

Formatos de página

Como establece el modelo de caja, alrededor del contenido de una página Web (el elemento **body**) hay una separación establecida por el margen y el relleno del elemento. Estos valores se pueden modificar respectivamente con los atributos **margin** y **padding** de la etiqueta **body**. Para que el contenido de una página quede totalmente pegado a los laterales de la ventana del navegador, cambie estos atributos por **0**. Pero esto no es suficiente en algunas versiones de navegadores. El siguiente código cumple por completo el objetivo:

```
body {
   margin: 0;
   padding: 0;
   position: absolute;
   top: 0;
   left: 0;
}
```

Tenga en cuenta que algunos elementos tienen también por defecto su propio margen y relleno establecido. Si el primer elemento de la página Web del ejemplo anterior es un nivel **h1**, seguirá observando una separación entre el inicio del texto y el borde superior de la ventana. También podemos aplicar un borde a la página. Para ello, usaremos la propiedad **border**. Para evitar que el texto quede pegado al borde, utilice la propiedad **padding**, como en:

```
body {
   margin: 0;
   padding: 1.5em;
   border: 50px teal ridge;
}
```

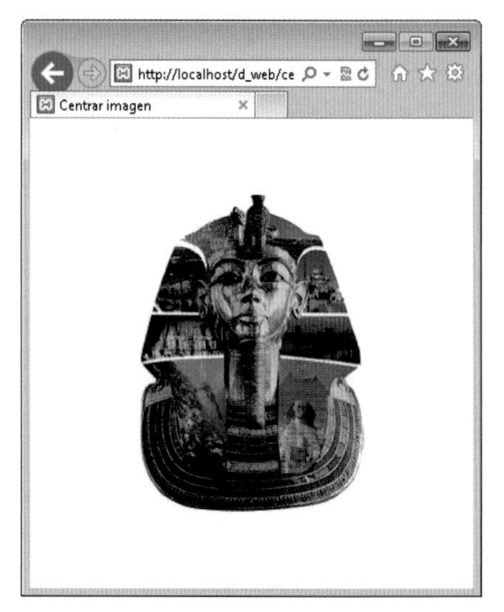

Si conocemos las dimensiones de un objeto (por ejemplo, una imagen) podemos centrarlo en la página Web tanto en sentido vertical como en sentido horizontal de una manera muy sencilla. Utilice un código como este:

```
img {
   position: absolute;
   top: 50%;
   left: 50%;
   margin-top: -137px;
   margin-left: -100px;
   height: 274px;
   width: 200px;
}
```

Después de establecer un posicionamiento absoluto de la imagen, colocamos su esquina superior izquierda justo en el centro de la página, al 50% de altura y al 50% de anchura. Luego, mediante un desplazamiento negativo, movemos la imagen a la izquierda y hacia arriba una distancia igual a la mitad de sus dimensiones mediante las propiedades **margin-top** y **margin-left**. Observe que al redimensionar la ventana, la imagen se sigue colocando automáticamente en el centro de la página.

Listas

Una de nuestras principales necesidades con las listas será modificar el símbolo que se muestra como boliche en las listas no ordenadas o el tipo de numeración de las listas ordenadas. Esto se consigue gracias al atributo `list-style-tipe` cuyos valores principales son: `disc`, `circle`, `square`, `decimal`, `decimal-leading-zero`, `lower-roman`, `upper-roman`, `lower-greek`, `lower-latin`, `upper-latin`, `armenian`, `georgian`, `lower-alpha` y `upper-alpha`. Si estos estilos no le resultan suficientes, puede usar cualquier contenido de texto autogenerado que necesite. Utilice el seudo elemento `li:before` para especificar el carácter deseado delante de la lista mediante el atributo `content`. Luego, elimine el boliche por defecto de la lista cambiando la propiedad `list-style` de `ul` a `none`. Y si no está satisfecho con la nueva posición de los elementos de la lista, puede enviarlos hacia la izquierda para recuperar la sangría perdida con un valor negativo de `margin-left`. Observe el ejemplo:

```
ul {
   list-style: none;
}
li {
   margin-left: -1em;
}
li:before {
   content: "\00BB \0020";
}
```

Lista de la compra

» Pan
» Leche
» Huevos
» Arroz
» Azúcar

Otro efecto de listas bastante interesante, consiste en añadir una línea de separación entre cada uno de los elementos de dicha lista. El efecto se consigue con un atributo `border-top` aplicado a cada uno de los elementos `li` de la lista, unido a una línea final `border-bottom` asociada al elemento `ul`. Observe el código de ejemplo. Seguramente no tendrá ningún problema en interpretar correctamente el resto del código CSS3:

```
li {
   border-top: 1px solid orange;
   padding: 0.3em 0;
   margin-left: -40px;
}
ul {
   margin-left: 40px;
   border-bottom: 1px solid orange;
   list-style: none;
   width: 30%
}
```

Lista de la compra

Pan
Leche
Huevos
Arroz
Azúcar

Finalmente, si desea utilizar una imagen como marca de viñeta en lugar de los caracteres predefinidos en el sistema, recurra a la propiedad `list-style-image`. Nuevamente, esta propiedad toma como valor un archivo de imagen en el servidor Web especificado mediante la función `url`. Observe el siguiente ejemplo:

```
ul {
   list-style-image: url('icono.jpg')
}
```

Lista de la compra

Pan
Leche
Huevos
Arroz
Azúcar

Hipervínculos

De manera predeterminada, los hipervínculos de texto de una página Web están subrayados para destacarse del resto de la información. Este comportamiento puede modificarse con la propiedad **text-decoration**. El valor **none** desactiva el subrayado, **overline** muestra una línea en el borde superior en lugar de la línea inferior tradicional, **blink** hace que parpadee el texto y **line-through** coloca la línea en medio del texto. Por ejemplo:

```
a:link {
   text-decoration: underline;
}
a:visited {
   text-decoration:line-through;
}
a:active {
   text-decoration:overline;
}
```

Modificar el color de un vínculo es igual de sencillo. Aplique la propiedad **color** con el valor deseado para cada seudo clase del hipervínculo: **a:link**, **a:visited** y **a:active**. Recuerde no obstante que todos los usuarios están acostumbrados a identificar los hipervínculos mediante un subrayado y un color azul. Si cambia demasiado el criterio, puede que sus visitantes sean incapaces de reconocer sus hipervínculos.

Otra necesidad que puede plantearse con los vínculos es mostrar un icono junto a determinados tipos de enlaces, como por ejemplo, un enlace de correo electrónico o un enlace a una página Web. Para diferenciar distintos tipos de enlaces, podemos marcarlos en el texto mediante atributos **class**. Por ejemplo:

```
<a href="mailto:direccion@proveedor.es" class="correo">eum liber hendrerit an</a>.
<a href="http:/www.anayamultimedia.es" class="web">definitionem</a>
```

Luego, incluimos el icono de la imagen al final del vínculo mediante el seudo-elemento **after** con un atributo **content**. Observe el siguiente código:

```
a {
   text-decoration: none;
   font-weight: bold;
}
a.correo:after {
   position: relative;
   top: 3px;
   margin-left: 2px;
   content: url('correo.jpg');
}
a.web:after {
   position: relative;
   top: 3px;
   margin-left: 2px;
   content: url('web.jpg');
}
```

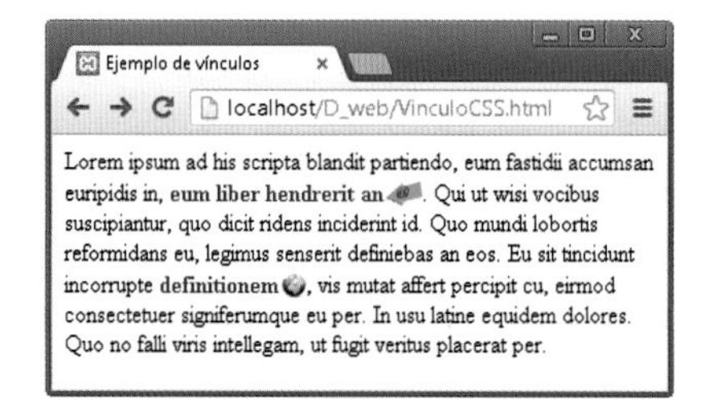

Formularios

Uno de los aspectos más frustrantes de trabajar con formularios suele ser conseguir un aspecto limpio y ordenado para sus campos. En ocasiones, los desarrolladores tienden a usar tablas para organizarlos. Pero este método puede resultar engorroso y difícil de mantener si es necesario añadir algún campo adicional al formulario. Desde CSS, se puede manejar este formato de una forma centralizada. El aspecto de un formulario como este es bastante desordenado:

```
<form method="post" action="registro.php">
   <label for="usuario">Nombre de usuario:</label>
   <input name="usuario" id ="usuario" type="text" /><br />
   <label for="contras">Contraseña:</label>
   <input name="contras" id="contras" type="password" /><br />
   <label for="recordar">Recordar registro:</label>
   <input name="recordar" id="recordar" type="checkbox" /><br />
   <input name="enviar" id="enviar" type="submit" value="enviar" />
</form>
```

Observe cómo cambia de aspecto al formulario con algo de código CSS3:

```
input {
   display: block;
   width: 150px;
   float: left;
   margin-bottom: 10px;
}
label {
   display: block;
   text-align: right;
   float: left;
   width: 120px;
   padding-right: 10px;
}
#recordar {
   width: 1em;
}
br {
   clear: left;
}
#enviar {
   width: 80px;
   margin-left: 132px;
}
```

La propiedad `display:block` establecida para las etiquetas y los cuadros de texto permiten que podamos establecer un valor determinado para la anchura del texto, gracias a que convertimos ambos elementos en elementos a nivel de bloque. Con `float:left`, hacemos que la etiqueta se coloque a la izquierda del cuadro de texto, en lugar de aparecer encima como haría habitualmente. El resto de instrucciones, sólo establecen las dimensiones de las etiquetas, la separación entre filas de elementos, etc. No obstante, observe el detalle crucial de borrar el efecto de `float` a la izquierda de cada elemento `br` mediante `clear:left`, lo que permite que cada línea de etiqueta-cuadro de texto comience en el lateral izquierdo de la página.

Tablas

Para esstablecer los bordes de una tabla y de sus celdas, utilice los atributos border-collapse y border, de la siguiente manera:

```
table {
   border-collapse: collapse;
   border: 2px solid olive;
}
```

Para añadir líneas de separación entre las celdas de la tabla, utilizaremos la propiedad border, esta vez aplicada al elemento td:

```
td {
   padding: 5px;
   border: 1px solid olive;
}
```

día	lunes	martes	miércoles	jueves	viernes	sábado	domingo
estado							
prob. lluvia	100	65	40	10	5	5	5
cota de nieve		1300	1400				
T. máxima	16	13	13	15	17	16	15
T. mínima	6	7	4	5	4	4	3

Para definir un formato independiente para la fila de encabezado (th):

```
th {
   color: white;
   background-color: olive;
   padding: 5px;
}
```

día	lunes	martes	miércoles	jueves	viernes	sábado	domingo
estado							
prob. lluvia	100	65	40	10	5	5	5
cota de nieve		1300	1400				
T. máxima	16	13	13	15	17	16	15
T. mínima	6	7	4	5	4	4	3

Para modificar de forma independiente la primera celda de cada una de las filas, la que contiene el título del parámetro de la tabla, establecemos un atributo class en cada una de estas celdas, como por ejemplo: <td class="primera">T. mínima</td>. Una vez hecho esto aplicamos nuestro formato de la siguiente manera:

```
.primera {
   color:white;
   background-color: #999966;
   font-style: italic;
   text-align: right;
}
```

día	lunes	martes	miércoles	jueves	viernes	sábado	domingo
estado							
prob. lluvia	100	65	40	10	5	5	5
cota de nieve		1300	1400				
T. máxima	16	13	13	15	17	16	15
T. mínima	6	7	4	5	4	4	3

Un problema que podemos observar en las tablas anteriores es que las distintas columnas tienen una anchura diferente. La anchura que se ajusta al contenido de la celda más larga de cada columna. Así, la columna etiquetada como "miércoles" es más ancha que la columna "lunes". Esto es debido a que, por defecto, los navegadores siguen un algoritmo para el tamaño de las celdas automático que depende de su contenido. Para cambiar este comportamiento usamos a la propiedad table-layout del elemento table, cambiando su valor por fixed. Luego, haremos que la anchura de la tabla ocupe el 100% del espacio disponible en la página. Este es el nuevo código CSS para el elemento table:

```
table {
   border-collapse: collapse;
   border: 2px solid olive;
   table-layout:fixed;
   width:100%
}
```

También podríamos igualar la altura de todas las filas, esta vez, con un sencillo cambio en la etiqueta `tr`:

```
tr {
   height: 45px;
}
```

día	lunes	martes	miércoles	jueves	viernes	sábado	domingo
estado							
prob. lluvia	100	65	40	10	5	5	5
cota de nieve		1300	1400				
T. máxima	16	13	13	15	17	16	15
T. mínima	6	7	4	5	4	4	3

Ya sólo nos queda dar algo de formato a las celdas de contenido. El primer paso evidente es centrar el contenido de las celdas. Conseguiremos nuestro objetivo añadiendo la regla `text-align: center` al selector `td`. Sin embargo, recuerde que queremos que el texto de la primera columna esté alineado a la derecha en lugar de centrado. Para ello, deberá asegurarse de que la regla del selector de clase `.primera` se encuentre situada en la hoja de estilo *después* de la regla del selector `td`.
Como no queremos escribir manualmente los símbolos de porcentaje para las probabilidades de lluvia ni de °C para las temperaturas, lo haremos aprovechándonos de las ventajas que nos ofrece el seudo-elemento `:after`. Marcaremos con un nombre de clase las filas correspondientes a las probabilidades de lluvia y a las temperaturas máximas y mínimas, como vemos a continuación:

```
<tr class="plluvia">
<tr class="temp">
Luego, creamos la regla para las clases .plluvia y .temp de la siguiente manera:
.plluvia td+td:after {
   content: "\%"
}
.temp td+td:after {
   content: "\0020 \°C"
}
```

El truco principal aquí es utilizar un selector de hermanos adyacentes `td+td` que evita que el formato se aplique a la primera celda de la fila.
Y como remate final, cambiaremos de color las temperaturas máximas (a rojo) y las temperaturas mínimas (a azul). Si ha seguido las instrucciones anteriores, le resultará muy sencillo. Esta vez, utilizaremos un identificador `id` para marcar las filas, de la siguiente manera:

```
<tr class="temp" id="tmax">
<tr class="temp" id="tmin">
```

Y luego, simplemente, escribiremos las siguientes reglas:

```
#tmax td+td {
   color: red;
}
#tmin td+td {
   color: blue;
}
```

día	lunes	martes	miércoles	jueves	viernes	sábado	domingo
estado							
prob. lluvia	100%	65%	40%	10%	5%	5%	5%
cota de nieve		1300	1400				
T. máxima	16 °C	13 °C	13 °C	15 °C	17 °C	16 °C	15 °C
T. mínima	6 °C	7 °C	4 °C	5 °C	4 °C	4 °C	3 °C

Precargar imágenes en Javascript

El lenguaje javascript permite extender las capacidades del lenguaje HTML. Es posible introducir un fragmento de código javascript en una página Web utilizando la vista de código. El código javascript debe ir encerrado entre las etiquetas `<script language="JavaScript">` y `</script>`.

El siguiente código permite precargar las imágenes de una página Web durante la carga de la propia página. De esta forma, se evitan demoras al trabajar con el documento HTML. Escriba el siguiente código entre las etiquetas `<head>` y `</head>`:

```
<script language="javascript">
var i;
var imagenes = new Array("Luna.jpg","Neptuno.jpg","Saturno.jpg","Tierra.jpg");
var lista_imagenes = new Array();
function cargarimagenes(){
   for(i in imagenes){
      lista_imagenes[i] = new Image();
      lista_imagenes[i].src = imagenes[i];
   }
}
</script>
```

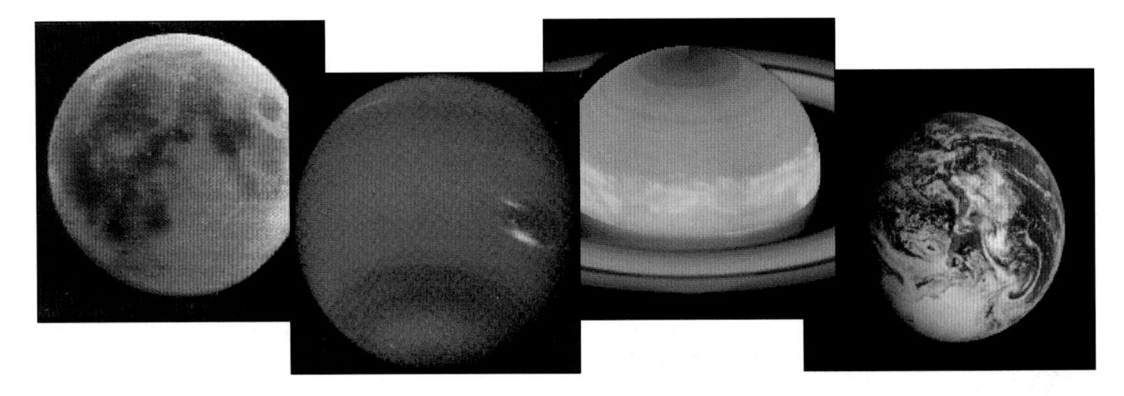

Luego, escriba la llamada a la función **cargarimagenes** entre las etiquetas `<body>` y `</body>` de la página Web, en la siguiente forma:

```
<script>cargarimagenes();</script>
```

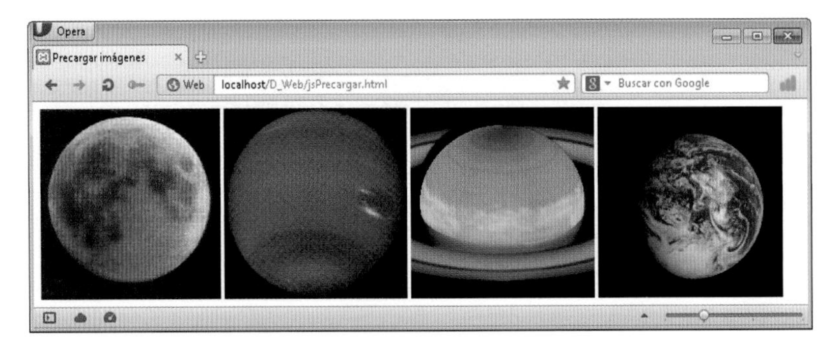

Intercambio de imágenes en Javascript

Otra de las funciones habituales que se ha aplicado a Javascript es la creación de un efecto de intercambio de imágenes cuando se sitúa sobre ellas el puntero del ratón.

Nota: También se puede conseguir un efecto similar, "efecto rollover", utilizando solamente código CSS3, como veremos en la siguiente página.

Escriba el siguiente código Javascript entre las etiquetas <head> y </head> del documento Web:

```
<script language="javascript">
   imagen1=new Image()
   imagen1.src="imagen01.jpg"
   imagen2=new Image()
   imagen2.src="imagen02.jpg"
</script>
```

En el punto de la página donde se desee incluir la imagen cambiante, escriba un código similar al siguiente:

```
<img src="imagen01.jpg" width="450" height="250" name="ejemplo"
   onMouseover="document.images['ejemplo'].src=imagen2.src"
   onMouseout="document.images['ejemplo'].src=imagen1.src"/>
```

Efecto rollover en CSS3

En CSS3 podemos definir un efecto de *rollover* (cambiar una imagen por otra cuando se sitúa sobre ella el puntero del ratón) prescindiendo de esta manera del código Javascript. El truco consiste en utilizar la seudo-clase `:hover` del elemento `a`. En primer lugar, crearemos un contenedor `div` que contenga en su interior un hipervínculo `a`, de la siguiente manera:

```
<div id="rollover"><a href=""></a></div>
```

Si lo desea, puede introducir una dirección URL en el atributo `href`. Con `href=""` creamos un "vínculo vacío", que no apunta a ninguna parte. El contenedor `div` está etiquetado con un identificador `id` para poder aplicarle los estilos necesarios. Primero, definimos el estado normal de la imagen, introduciendo una imagen de fondo en el contenedor `div`:

```
div#rollover a{
   float:left;
   width:520px;
   height:350px;
   background-image:url('img01.jpg');
   background-repeat: no-repeat;
}
```

La propiedad `float:left` es imprescindible para que la imagen de fondo aparezca tras el hipervínculo. Si no incluyéramos esta propiedad, la imagen de fondo desaparecería. Luego, establecemos las dimensiones del elemento `div` con las dimensiones de la imagen y colocamos dicha imagen como fondo del contenedor mediante `background-image`. La última regla hace que la imagen aparezca una sola vez en el fondo del contenedor (desactiva la repetición de la imagen de fondo). A continuación, escribiremos el código para la seudo-clase `:hover`:

```
div#rollover a:hover{
   background-image:url('img02.jpg');
   background-repeat: no-repeat;
}
```

Con esto simplemente sustituimos la imagen de fondo del contenedor por `img02`. Observe que todavía aún podríamos mostrar una tercera imagen al hacer clic sobre el elemento aprovechando la seudo-clase `active`:

```
div#rollover a:active{
   background-image:url('img03.jpg');
   background-repeat: no-repeat;
}
```

Crear un menú de navegación horizontal

En este truco crearemos un menú de navegación horizontal con una lista no ordenada situada dentro de un contenedor `div`.
En primer lugar, cree el contenedor, etiquételo con un identificador `id` con el valor `navega` y cree los elementos de la lista estableciendo en su interior un vínculo a la página Web correspondiente a la que se acceda a través del menú. Por ejemplo:

```
<div id="navega">
<ul>
   <li><a href="/">Inicio</a></li>
   <li><a href="/productos/">Productos</a></li>
   <li><a href="/servicios/">Servicios</a></li>
   <li><a href="/contacto/">Contacto</a></li>
</ul>
</div>
```

Esta es toda la estructura necesaria para la confección de nuestro menú de navegación horizontal. El resto será el código CSS3 que vaya dando forma a los elementos del menú. En primer lugar, daremos forma a la lista. En el siguiente código, aparte de definir un relleno para los elementos, la parte más importante es la regla `border-bottom`, servirá para dibujar una línea en el borde inferior del menú de navegación:

```
#navega ul {
   padding: 3px 0;
   margin-left:0;
   border-bottom:1px solid green;
   font: bold 12px Verdana, sans-serif;
}
```

Luego, eliminamos la marca (boliche o viñeta) de los elementos de la lista mediante `list-style:none` y hacemos que los elementos se coloquen en línea mediante `display:inline`. Este es el código:

```
#navega ul li {
   list-style:none;
   margin:0;
   display:inline;
}
```

El siguiente paso consiste en dar formato a los hipervínculos. Escriba el siguiente código:

```
#navega ul li a {
   padding:3px 0.5em;
   margin-left:3px;
   border:1px solid green;
   border-bottom:none;
   background: #99FF66;
   text-decoration:none;
}
```

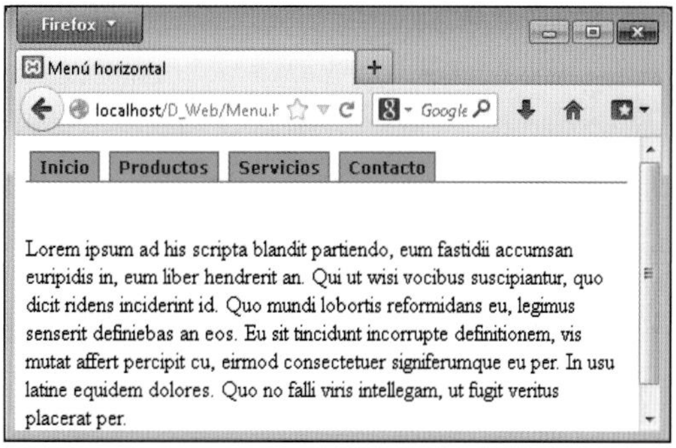

Con este sencillo código, definimos el aspecto de las pestañas. Después de crear un relleno y un margen alrededor de los elementos, definimos un borde de un píxel de grosor alrededor de cada pestaña. No obstante, justo a continuación eliminamos el borde inferior mediante **border-bottom** para eliminar el borde por debajo del vínculo. El resto del código establece un color de fondo en un verde más claro que el de los bordes de las pestañas y elimina el subrayado de los vínculos con la regla **text-decoration:none**; Luego, definimos el color normal del texto de los vínculos. Simplemente, establecemos un color verde más oscuro para el texto:

```
#navega ul li a:link {
   color:#003300;
}
```

A los vínculos visitados, les asignamos un color naranja para diferenciarlos del resto. El código, nuevamente es muy sencillo:

```
#navega ul li a:visited {
   color:orange;
}
```

El efecto de *rollover* lo conseguimos en este caso mediante un cambio de colores. Este efecto se debe aplicar tanto a las pestañas no visitadas como a las pestañas con vínculos a direcciones ya visitadas. Por esa razón, aplicamos la misma regla a los selectores **#navega ul li a:link:hover** y **#navega ul li a:visited:hover**. Simplemente, cambiamos el color del texto a negro y el fondo y el borde a rojo. Observe el código:

```
#navega ul li a:link:hover, #navega ul li a:visited:hover {
   color: black;
   background: red;
   border-color:red;
}
```

Para finalizar, debemos tener en cuenta una forma de marcar la página en la que nos encontramos actualmente. En la barra de navegación de cada página, aplicaremos un identificador **id** con un valor **actual** en el hipervínculo de la página correspondiente. Algo así como:

```
<li><a href="/servicios/" id="actual">Servicios</a></li>
```

Y le aplicaremos un formato diferente, como muestra la siguiente regla:

```
#navega ul li a#actual {
   background: white;
   border-bottom:1px solid white;
}
```

El fondo es blanco (o el color del fondo de la página) y, para crear un efecto que haga pensar que la pestaña de la página está por encima del resto, "limpiamos" el borde inferior aplicándole un color también blanco.

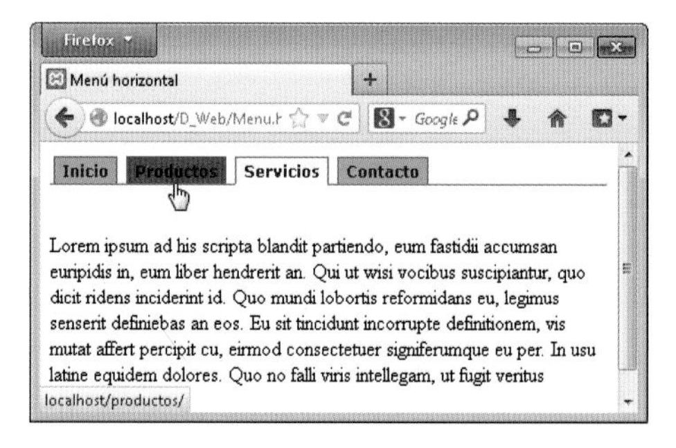

Diseño para distintas plataformas con consultas media de CSS3

Como ya hemos visto anteriormente, uno de los pilares principales del diseño Web actual consiste en ser capaz de realizar un mismo diseño que se pueda adaptar fácilmente a diferentes tipos de plataformas, como por ejemplo un teléfono móvil o *Smartphone*, una *tablet*, un ordenador portátil o de sobremesa normal o un ordenador con una pantalla de grandes dimensiones. Desde los 240 x 320 píxeles de un Samsung Galaxy Mini hasta los 2.560 x 1.080 píxeles de un monitor de 29 pulgadas (o incluso más), la superficie de presentación de nuestras páginas debe adaptarse a un amplio rango y deseamos que la experiencia de navegación de nuestros usuarios sea satisfactoria en todos los casos.

CSS3 acude en nuestra ayuda permitiéndonos programar un solo diseño de página (un documento `.htm` o `.html` único para cada una de las páginas de nuestro sitio Web y en un único archivo CSS3, configurar todas las opciones de formato que deberán adaptarse a los distintos tipos de dispositivos disponibles.

La primera herramienta con la que contamos para enfrentarnos a este desafío consiste en pensar en las dimensiones de los elementos de nuestras páginas en unidades relativas, es decir, en porcentajes o unidades em en lugar de píxeles o centímetros.

La otra gran herramienta viene de la mano de las consultas media de CSS3. La sintaxis de una consulta media de CSS3 es la siguiente:

```
@media tipo_de_medio { reglas_CSS }
```

donde *`tipo_de_medio`* puede tomar los siguientes valores:

- `all`: indica que las reglas se aplicarán a todos los dispositivos.
- `print`: salida diseñada para material impreso.
- `screen`: reglas que se aplicarán a la visualización de las páginas en la pantalla de un dispositivo.

Observe detenidamente el siguiente ejemplo en el que hemos creado una página Web que se adapta de diferentes maneras a diferentes tipos de dispositivos. El código HTML5 de la página es muy sencillo. Hemos introducido comentarios en los puntos que requieren una explicación adicional del código:

```
<html>
<head>
<meta http-equiv="Content-Type" content="text/html; charset=ISO-8859-1" />
<!-- Esta línea permite que la página se muestre correctamente en dispositivos
móviles-->
<meta name="viewport" content="width=device-width, initial-scale=1.0, minimum-
scale=1.0, maximum-scale=2.0">
<title>Toledo</title>
<!-- Aquí se carga la hoja de estilos CSS3 que da formato a la página-->
<link href="Toledo.css" rel="stylesheet" type="text/css">
</head>
```

```
<body>
<div id="cabecera">
    <!-- Colocamos en principio dos figuras y dependiendo del dispositivo de salida
    mostramos una u otra-->
    <img src="Cab_grande.jpg" id="cab_grande">
    <img src="Cab_peq.jpg" id="cab_peq">
</div>
<!-- Este será el menú de navegación -->
<div id="navega">
        <ul>
        <li><a href="/">Inicio</a></li>
        <li><a href="/historia/">Historia</a></li>
        <li><a href="/cultura/">Cultura</a></li>
        <li><a href="/turismo/">Turismo</a></li>
        <li><a href="/gastronomía/">Gastronomía</a></li>
    </ul>
</div>
<div id="contenido">
          <div id="escudo">
               <img src="Escudo.png" id="imgEscudo">
          </div>
<h1>Toledo</h1>
    <p>Lorem ipsum … placerat per.</p>
    <p>Ius id … quaestio ei.</p>
    <p>Lorem ipsum … per.</p>
    <!-- Aquí colocaremos un texto con la versión de salida que mostremos -->
    <p id="version"></p>
    </div>
</body>
</html>
```

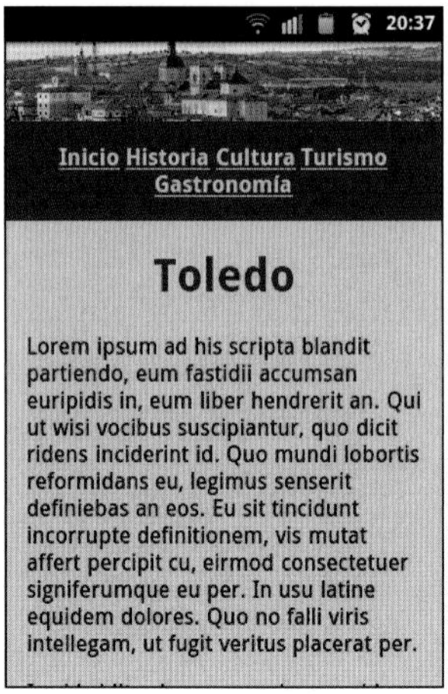

Y este es el código del archivo CSS3 mostrado en dos columnas. Observe los comentarios:

```
/* Reglas comunes */
/* También podríamos haberlas encerrado
en una consulta @media all */
html {
    height: 100%;
}
body {
    height: 100%;
    background-color: #FBCB8C;
    margin: 0px;
    padding: 0px;
}
#cabecera {
    width: 100%;
    position: relative;
    left: 0px;
    top: 0px;
    display: inline-block;
}
/* Preparativos para el formato de la
lista no numerada */
/* como menús con hipervínculos */
#navega {
    width: 100%;
    position: relative;
    left: 0px;
    top: 0px;
    background-color: #790E11;
    display: inline-block;
    margin: 0px;
    padding: 0px;
}
#navega ul {
    font-family: Verdana, Geneva,
        sans-serif;
    font-size: 1em;
    font-weight: bold;
    padding: 0px;
    margin-top: 1em;
    margin-right: 0px;
    margin-bottom: 1em;
    margin-left: 0px;
    text-align: center;
}
#navega ul li a:link {
    color: #FBCB8C;
}
#navega ul li a:visited {
    color: #FFF;
}
#navega ul li a:link:hover, #navega ul li
a:visited:hover {
```

```
    color: #000;
}
#contenido {
    width: 100%;
    height: 100%;
    position: relative;
    left: 0px;
    top: 0px;
    margin: 0px;
    padding: 0px;
}
#contenido h1 {
    font-family: "Arial Black", Gadget,
        sans-serif;
    color: #790E11;
    text-align: center;
    font-size: 2em;
}
#contenido p {
    font-family: Verdana, Geneva,
        sans-serif;
    font-size: 1em;
    margin: 1em;
}

/* Reglas para smartphone */
@media only screen
and (min-device-width : 320px)
and (max-device-width : 400px) {
    /* Ocultamos la cabecera grande
    y el escudo */
    /* Mostramos solamente la versión
    reducida de la cabecera */
    #cab_grande {
        display: none;
    }
    #imgEscudo {
        display: none;
    }
    #cab_peq {
        width: 100%;
    }
    /* En las versiones a pequeño tamaño,
    mostramos */
    /* el menú de navegación en
    horizontal, debajo de la
    cabecera */
    #navega ul li {
        list-style:none;
        margin:0;
        display:inline;
    }
    /* Verá esta sección en la consulta
    correspondiente a cada tipo */
    /* de medio. Añade un comentario para
    que sepamos qué versión se está
    mostrando */
    #version:after {
        content: "Anaya Multimedia -
        Version para Smartphone";
    }
}

/* Reglas para Tablet */
@media only screen
and (min-device-width : 400px)
and (max-device-width : 800px) {
    /* Mostramos la cabecera pequeña
    y el escudo */
    #cab_grande {
        display: none;
    }
    #imgEscudo {
        width: 30%;
        margin: 1em;
        position: fixed;
    }
    #cab_peq {
        width: 100%;
    }
    /* El menú sigue siendo horizontal */
    #navega ul li {
        list-style:none;
        margin:0;
        display:inline;
    }
    #version:after {
        content: "Anaya Multimedia -
Version para Tablet";
    }
}

/* Reglas para ordenadores de sobremesa y
portátiles */
@media only screen
and (min-width : 1024px) {
    /* Mostramos la cabecera pequeña
    y el escudo */
    #cab_grande {
        display: none;
    }
    #imgEscudo {
        width: 20%;
        margin: 1em;
        position: fixed;
    }
    #cab_peq {
        width: 100%;
    }
    /* Esta vez, el menú de navegación
    se muestra en el lateral izquierdo */
    #navega {
        width: 15%;
        height: 100%;
        float: left;
    }
    /* El menú de navegación flota
    a la izquierda y ajustamos */
```

```
    /* el bloque de contenidos para que
    encaje en la pantalla */
    #contenido {
        width: 98%;
        left: 2%;
    }
    #contenido p {
        text-align: justify;
    }
    /* Ajustes para mostrar correctamente
    los vínculos de navegación */
    #navega ul {
        text-align: left;
        padding: 0px;
        margin: 1em;
    }
    #navega ul li {
        list-style: none;
    }
    #version:after {
        content: "Anaya Multimedia -
        Version para PC de sobremesa y
        portatiles";
    }
}

/* Reglas para pantallas grandes */
@media only screen
and (min-width : 1280px) {
    /* En el formato grande mostramos la
    cabecera grande y el escudo */
    #cab_grande {
        width:100%;
    }
    #imgEscudo {
        width: 20%;
        margin: 1em;
        position: fixed;
    }
    #cab_peq {
        display: none;
    }
    /* Como en el caso anterior,
    la barra de navegación flota
    a la izquierda */
    #navega {
        width: 15%;
        height: 100%;
        float: left;
    }
    #contenido {
        width: 98%;
        left: 2%;
    }
    #contenido p {
        text-align: justify;
    }
    #navega ul {
        text-align: left;
        padding: 0px;
        margin: 1em;
    }
    #navega ul li {
        list-style: none;
    }
    #version:after {
        content: "Anaya Multimedia -
        Version para pantallas grandes";
    }
}
```

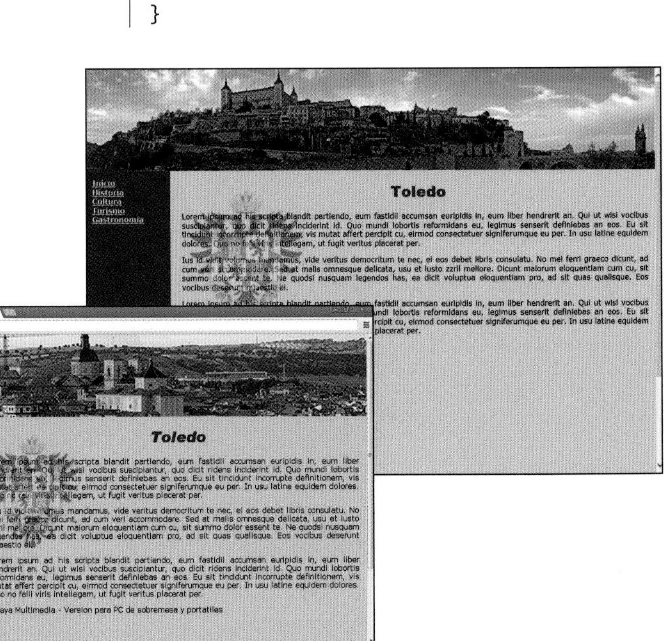

Validación de páginas Web

El consorcio del W3C pone a nuestra disposición una herramienta gratuita de validación para comprobar que nuestro código es correcto y sigue los estándares de la industria. Para acceder al validador escriba la dirección `http://validator.w3.org/` en la barra de direcciones de su navegador.
Lo primero que observamos al acceder a esta dirección es que la herramienta nos ofrece tres procedimientos diferentes para la validación:

- Validate by URI (validar mediante dirección URI): permite especificar una dirección en la que se encuentra el documento que se desea validar. Escriba dicha dirección en el cuadro de texto Address y haga clic sobre el botón **Check**.
- Validate by File Upload (validar subiendo un archivo a la Web): permite subir un archivo a la Web del validador donde se analizará y se comprobará su validez. Una vez seleccionada la opción, haga clic sobre el botón **Seleccionar archivo** y busque en los discos de su sistema el archivo HTML que desea validar. Luego, haga clic sobre el botón **Check** para comprobarlo.
- Validate by direct input (validar por entrada directa): permite escribir o copiar un fragmento de código para su validación. Escriba el código a validar en el cuadro Enter the Markup to validate y haga clic sobre el botón **Check**.

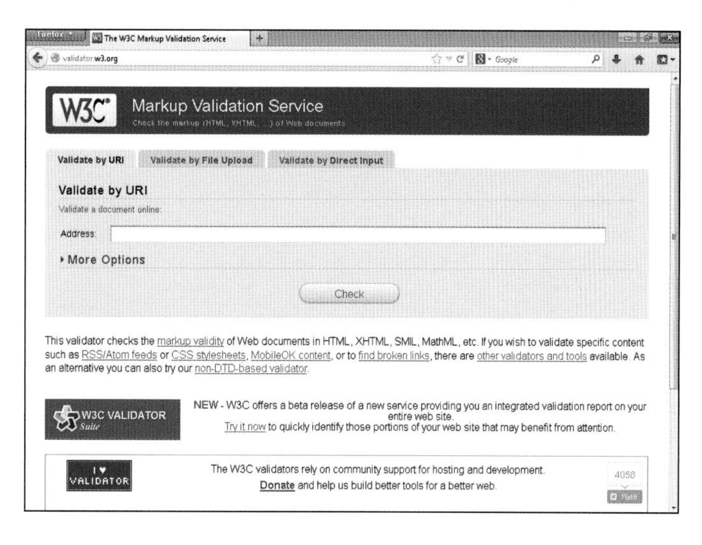

Capítulo 5

Editores Web

HTML y editores online

No es necesario disponer de ningún programa instalado en nuestro sistema para editar nuestras propias páginas Web. Existen diversos editores Web *online*, en el mercado, sitios Web que nos permiten crear nuestras propias páginas directamente desde nuestro navegador Web. Algunos de los más interesantes son:

- **Basekit** (`http://www.basekit.es/`): es un completo sistema de creación Web de pago basado en plantillas fácilmente personalizables. Esta herramienta ofrece además una serie de Web pre-construidas pensadas para empresas, de manera que simplemente añadiendo un logotipo y una serie de informaciones empresariales y personales, se podrá confeccionar una Web completa en pocos minutos. Basekit ofrece además un control completo y directo del formato de un sitio Web a través de CSS. Ofrece varios paquetes dirigidos a distintos tipos de diseñadores que oscilan entre los 6 y los 18 euros al mes.
- **Online-HTML-Editor.org** (`http://www.online-html-editor.org/`): es una sencilla herramienta en inglés desarrollada por InnovaStudio. Una sencillísima interfaz permite editar una página Web mostrándola directamente según aparecerá en el navegador Web. Su interfaz principal consta de dos fichas: `Home`, donde podemos editar el texto de la página Web con todos sus formatos de texto y párrafo tradicionales junto con las herramientas de gestión comunes de la herramienta e **Insert**, pensada para trabajar fácilmente con vínculos, imágenes, tablas, multimedia y caracteres especiales. También se puede trabajar directamente con el código HTML.
- **CSS Creator** (`http://csscreator.com/`): es un portal (en inglés) dedicado a todo lo relacionado con el lenguaje CSS. A parte de contener gran cantidad de información, un foro y un blog completísimos sobre CSS, dispone de una herramienta para generar diseños de página con CSS, un completo listado del a compatibilidad de las propiedades y selectores de CSS con los principales navegadores, un generador de menús a varios niveles, un generador sencillo de CSS, etc.

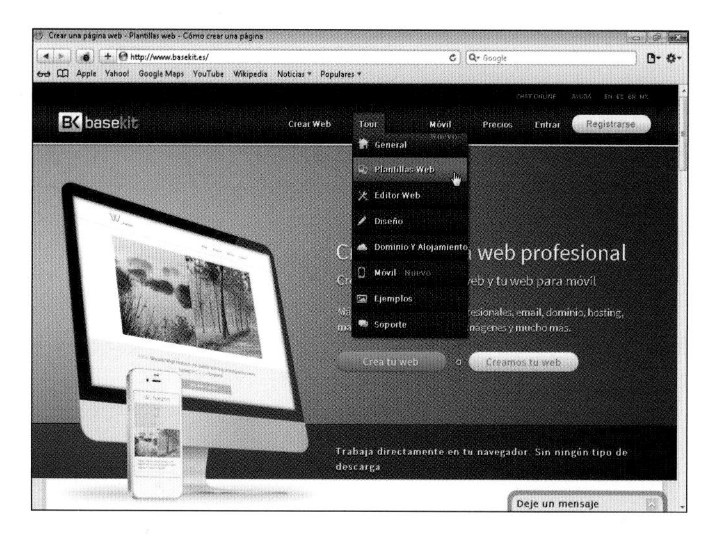

Bloc de notas

Un documento HTML5/XHTML, una hoja de estilos CSS3, un archivo PHP o Javascript, etc., todos ellos desde el punto de vista puramente estructural son archivos sencillos de texto sin ninguna opción de formato especial. Con cualquier tratamiento de textos podrá crear y editar documento Web, eso sí, con el inconveniente de no disponer de ninguna herramienta de ayuda adicional como es el caso de los editores Web con capacidades para la comprobación y visualización del código.

En plataformas Windows, un programa que podrá utilizar para crear y editar documentos Web es el Bloc de notas.

Bloc de notas está incorporado en la instalación por defecto de todas las versiones de Microsoft Windows y es una herramienta muy fácil de utilizar.

Para abrir el Bloc de notas, localícelo en el menú Inicio de Windows o entre los mosaicos de la pantalla principal de Windows 8 o utilice las herramientas de búsqueda del programa.

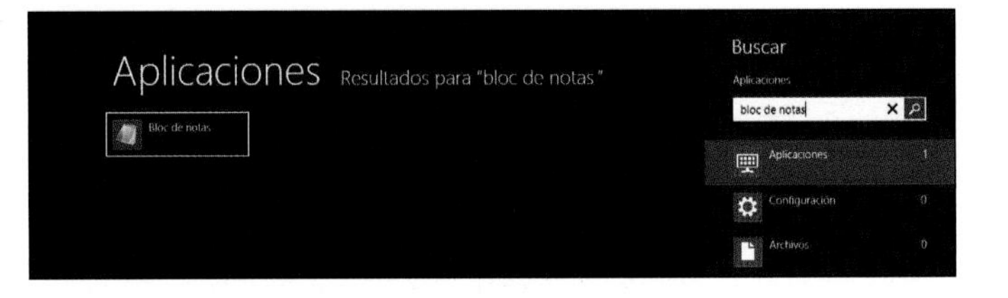

Escriba el código de su documento como en cualquier tratamiento de texto y ejecute el comando Archivo>Guardar (o Archivo>Guardar como) o pulse la combinación de teclas **Control-G**.

En el cuadro de diálogo Guardar como, localice la carpeta donde desea almacenar el documento y escriba su nombre en el cuadro de texto Nombre (asegúrese de escribir también la extensión, por ejemplo, `tablas.htm` o `estilo.css`, ya que de lo contrario, el programa añadirá automáticamente la extensión `.txt`). Si lo desea, seleccione una codificación para el documento mediante la lista desplegable del borde inferior del cuadro de diálogo. Por ejemplo, si ha elegido para sus documentos un conjunto de caracteres `charset=utf-8`, seleccione la misma opción en la lista desplegable. Una vez terminado, haga clic sobre el botón **Guardar** para almacenar el archivo en disco.

Para recuperar un archivo almacenado en disco, ejecute el comando Archivo>Abrir o pulse la combinación de teclas **Control-A**. En la lista de tipos de documentos de la esquina inferior derecha, seleccione la opción Todos los archivos (*.*), localice el archivo que desea en la lista central del cuadro de diálogo, haga clic sobre su nombre y, finalmente, sobre el botón **Abrir**.

Toledo.css: Bloc de notas

Archivo Edición Formato Ver Ayuda

```
/* Reglas comunes */
html {
        height: 100%;
}
body {
        height: 100%;
        background-color: #FBCB8C;
        margin: 0px;
        padding: 0px;
}
#cabecera {
        width: 100%;
        position: relative;
        left: 0px;
        top: 0px;
        display: inline-block;
}
#navega {
        width: 100%;
        position: relative;
        left: 0px;
        top: 0px;
        background-color: #790E11;
        display: inline-block;
        margin: 0px;
        padding: 0px;
}
#navega ul {
        font-family: Verdana, Geneva, sans-
serif;
        font-size: 1em;
        font-weight: bold;
        padding: 0px;
        margin-top: 1em;
        margin-right: 0px;
        margin-bottom: 1em;
        margin-left: 0px;
        text-align: center;
}
#navega ul li a:link {
        color: #FBCB8C;
}
#navega ul li a:visited {
        color: #FFF;
```

TextEdit y Kate

En ordenadores con plataforma Macintosh, el tratamiento de textos por defecto se llama TextEdit. Es un programa optimizado y muy potente, fácil de utilizar e integrado por completo en el sistema operativo Mac OS X. Es la herramienta perfecta para crear documentos sencillos, aunque también incluye prestacione tales como comprobación ortográfica y gramatical, guardado aut mático, gestión de tablas, comillas inteligentes, listas gráficos. Entre los formatos que incluye (texto senci- l l o , texto enriquecido, Word, OpenDocument Text), también se encuentra el formato HTML para confeccionar páginas Web.

En un ordenador Mac, puede abrir TextEdit desde el *dock* o desde la carpeta **Aplicaciones**.

En sistemas Linux nos encontramos con Kate, un programa que forma parte del paquete KDE y que se integra a la perfección en el entorno.

Kate es una herramienta ideada para la edición de todo tipo de código fuente. Una de sus principales ventajas es que nos permite trabajar con varios archivos al mismo tiempo. Además, el programa dispone de un corrector ortográfico con un buscador de expresiones y es compatible con la función de autocompletar. Soporta gran cantidad de protocolos y cuenta con un visor de símbolos propios de C, C++ y Phyton. Kate se puede personalizar mediante multitud de complementos y *scripts*.

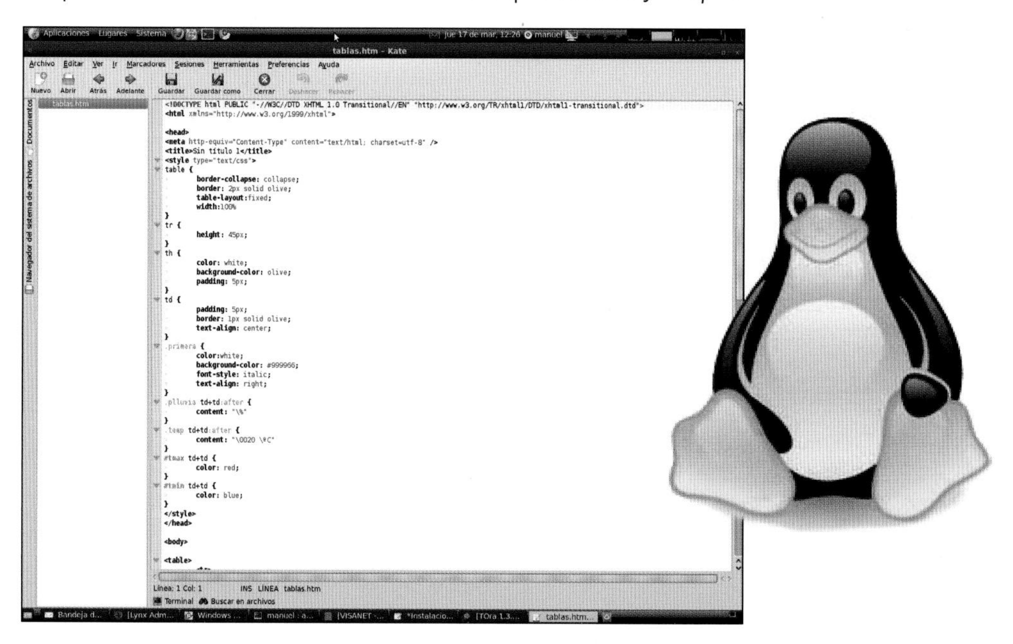

Dreamweaver CS6

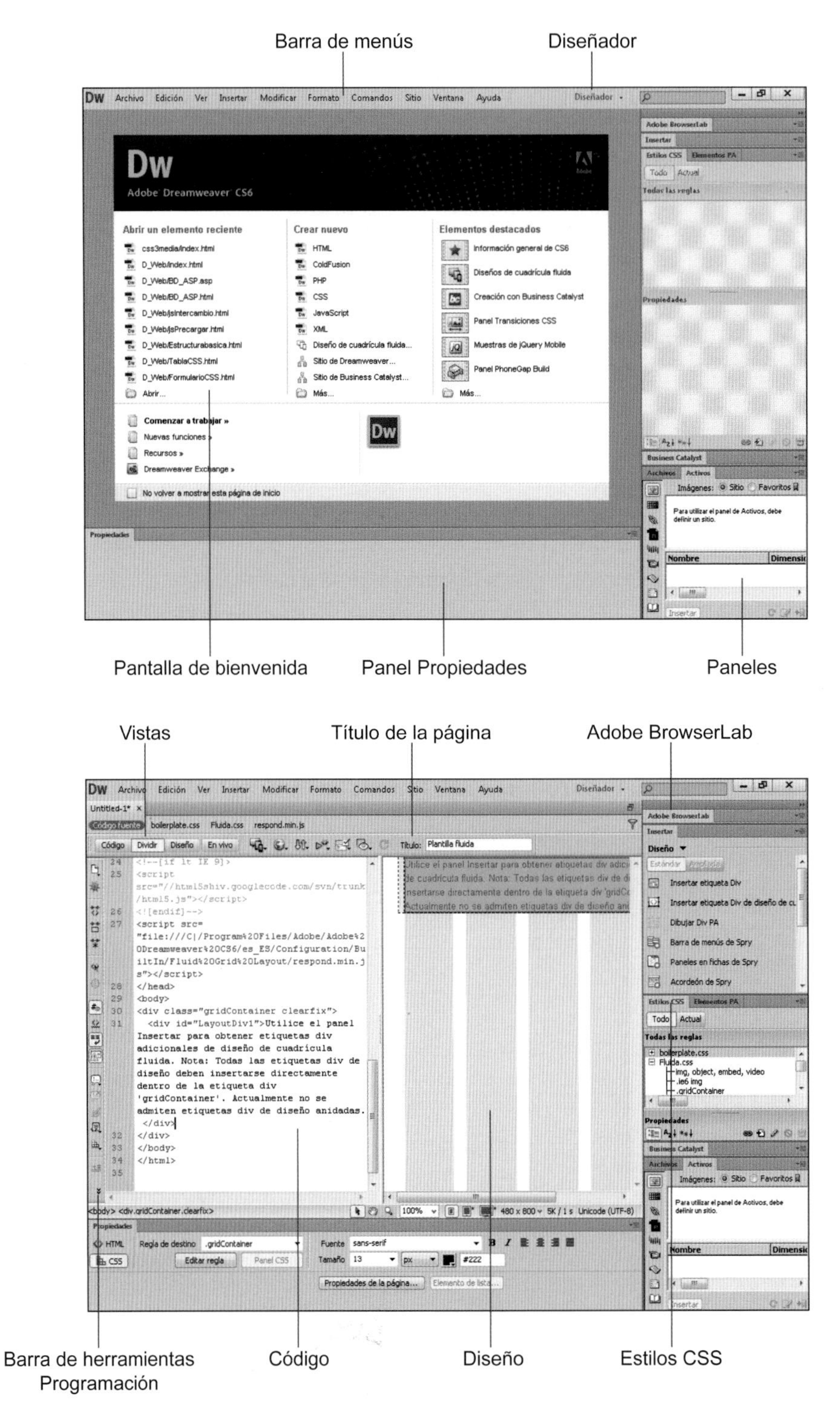

Adobe Dreamweaver CS6 permite crear sitios Web basados en los estándares de la industria. El programa permite realizar diseños de forma visual o directamente a través de código. Gracias a la integración de Dreamweaver con Adobe BrowserLab, un nuevo servicio en línea de Adobe CS Live, podremos probar de una manera precisa la compatibilidad de nuestras páginas con los distintos navegadores. Los servicios de CS Live son gratuitos durante un tiempo limitado.

- Para crear un nuevo documento: ejecutar el comando Archivo>Nuevo o pulsar la combinación de teclas **Control-N**. Dreamweaver dispone de un gran número de plantillas para documentos HTML5, CSS3, diseño fluido para diferentes dispositivos, JavaScript, XML, ASP, etc.
- Para examinar una página Web en un navegador o en BrowserLab: en el submenú Archivo>Vista previa en el navegador, seleccionar el nombre del navegador por defecto o ejecutar el comando Adobe BrowserLab (combinación de teclas **Control-Mayús-F12**).
- Para definir elementos HTML en la vista de diseño: seleccionar el punto de inserción y, en el menú Insertar, seleccionar el comando correspondiente al tipo de elemento que se desea crear. Distintos tipos de elementos pueden requerir distintos tipos de especificaciones mediante un cuadro de diálogo o a través del panel de propiedades, en el borde inferior de la ventana de la aplicación.

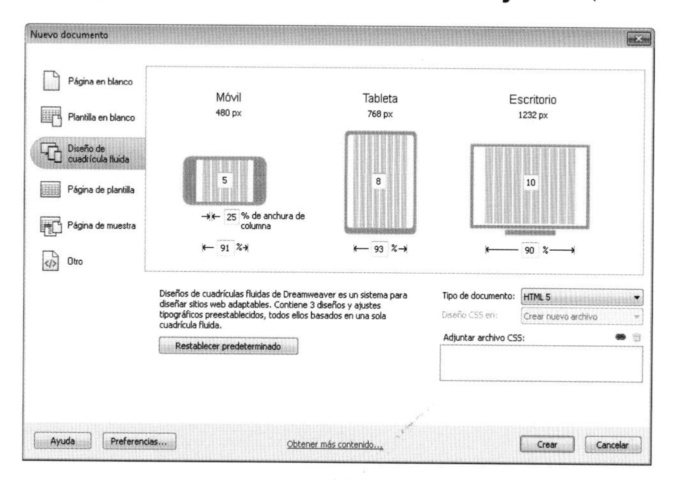

- Para cambiar el formato de fuente, párrafo, un estilo CSS o el color de un elemento: elegir el comando de formato correspondiente del menú Formato.
- Para revisar la ortografía de un documento HTML5: Ejecutar el comando Comandos>Ortografía.
- Para limpiar el código HTML5/XHTML: ejecutar el comando Comandos>Limpiar XHTML y definir los elementos que se desean depurar: etiquetas vacías, etiquetas repetidas, comentarios, formatos especiales de Dreamweaver, etc.
- Para crear y administrar sitios, obtener informes y sugerencias para el código, comprobar vínculos, etc.: emplear los comandos del menú Sitio.
- Para definir los elementos que componen la interfaz del programa: recurrir a los comandos del menú Ventana.

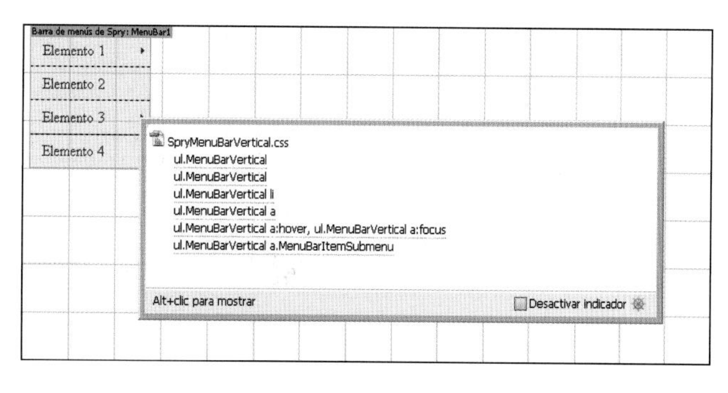

Adobe Contribute 6.5

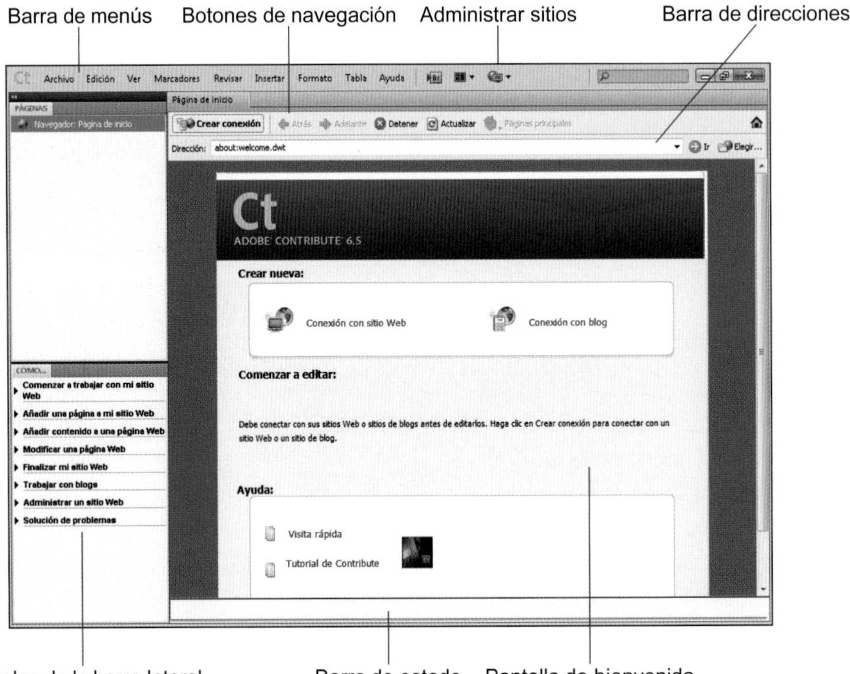

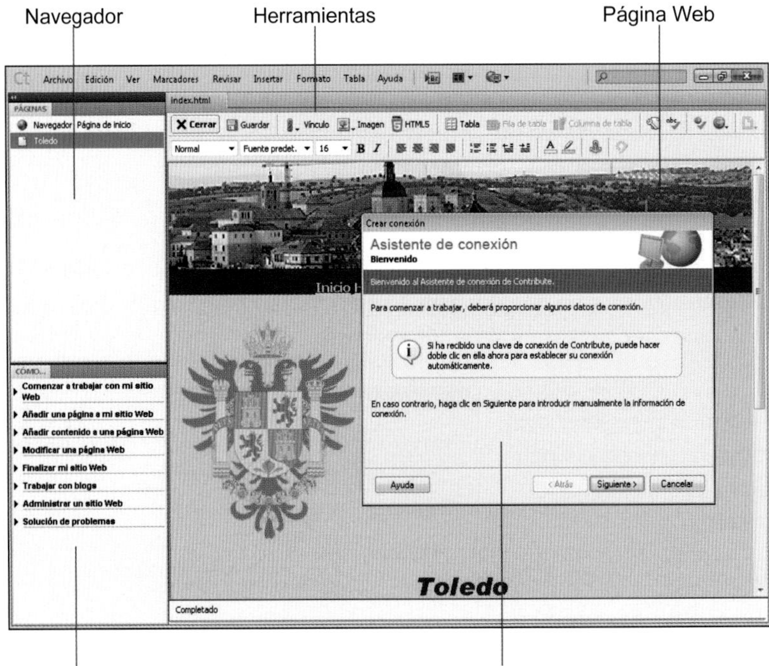

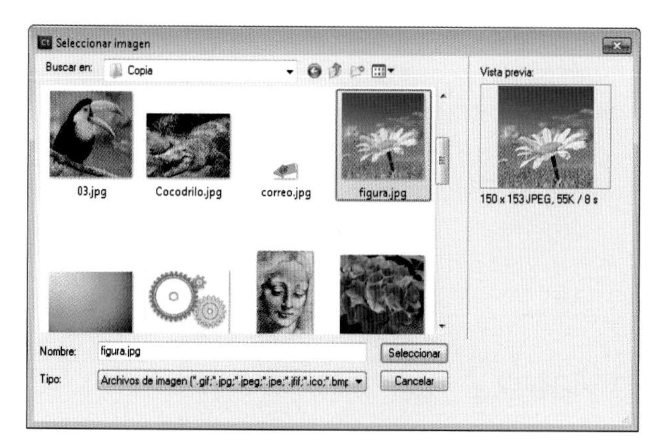

Adobe Contribute es otra de las herramientas del gigante Adobe para la publicación y administración de sitios Web. La herramienta integra en un solo programa la creación, revisión y publicación de sitios Web. Adobe Contribute es un editor HTML5 WYSIWYG (*What You See Is What You Get*, lo que se ve es lo que se obtiene) muy fácil de utilizar. Adobe Contribute aumenta la productividad del proceso de creación Web con una filosofía de trabajo colaborativa en la que no obstante las tareas de aprobación y supervisión resultan extremadamente sencillas.

- Para crear una nueva página Web o una nueva entrada de blog: ejecutar el comando Archivo>Nuevo o pulsar la combinación de teclas **Control-N**.
- Para configurar una conexión a un sitio Web: En la barra de herramientas de la pantalla de bienvenida, hacer clic sobre el botón **Administrar sitios** y ejecute el comando Nuevo sitio (o bien Edición>Mis conexiones.
- Para navegar por una Web, blog o conexión: escribir la dirección en el cuadro de texto del mismo nombre y hacer clic sobre el botón **Ir**.
- Para añadir contenido a una página Web: elegir el punto de n el menú Insertar, elegir el comando correspondiente al tipo de elemento deseado. Algunos componentes de utilidad de Adobe Contribute son: archivos SWF, vídeos, documentos PDF, componentes de PayPal, campos de búsqueda de Google, documentos Microsoft Office, etc. En el menú Tabla, se encuentran ubicados todos los comandos relacionados con la creación y edición de tablas.
- Para crear una nueva entrada de un *blog*: una vez creada la conexión al *blog* (por ejemplo, introduciendo el nombre de usuario y la contraseña de una cuenta de Blogger), escribir la dirección del *blog* en la barra de direcciones o hacer clic sobre el nombre del *blog* en la pantalla de bienvenida. Hacer clic sobre el botón **Nueva** de la barra de herramientas.

WebMatrix 2

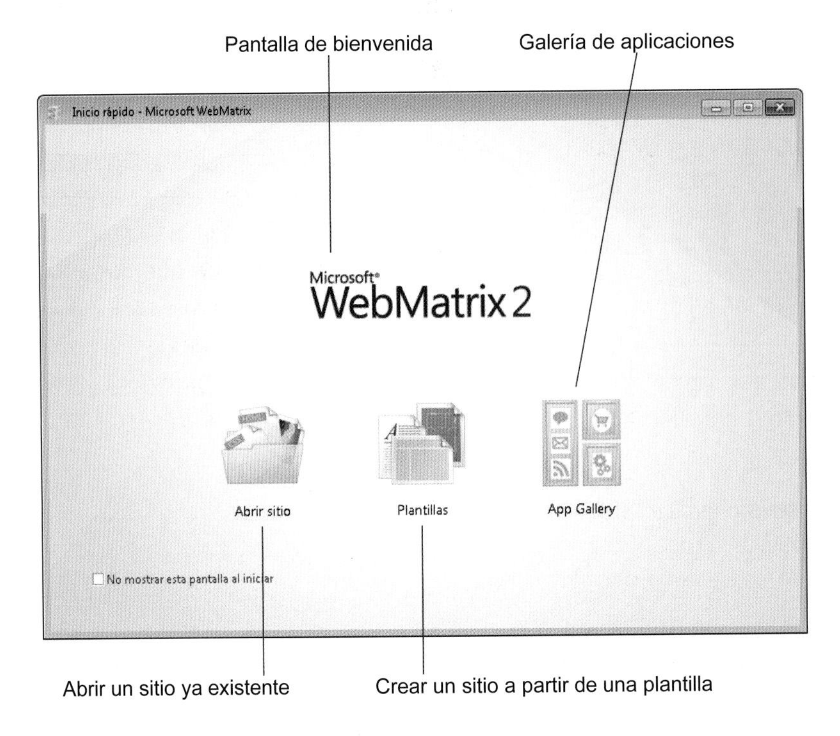
Pantalla de bienvenida
Galería de aplicaciones
Inicio rápido - Microsoft WebMatrix
Microsoft® WebMatrix 2
Abrir sitio
Plantillas
App Gallery
No mostrar esta pantalla al iniciar
Abrir un sitio ya existente
Crear un sitio a partir de una plantilla

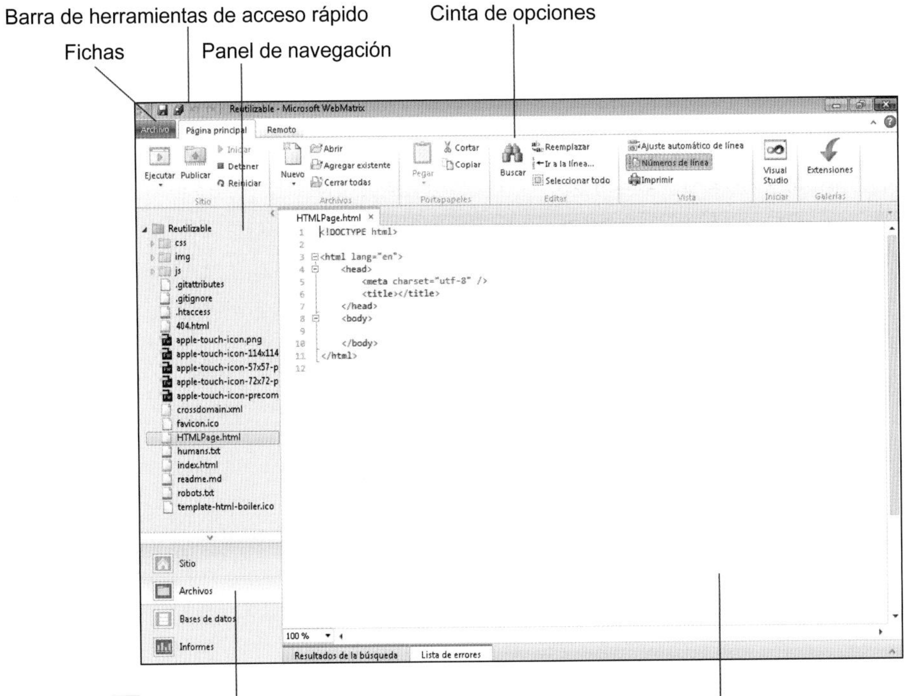
Barra de herramientas de acceso rápido
Cinta de opciones
Fichas
Panel de navegación
Reutilizable - Microsoft WebMatrix
Archivo
Página principal
Remoto
Ejecutar
Publicar
Nuevo
Abrir
Agregar existente
Cerrar todas
Cortar
Copiar
Pegar
Buscar
Reemplazar
Seleccionar todo
Ajuste automático de línea
Números de línea
Imprimir
Visual Studio
Extensiones
HTMLPage.html
Sitio
Archivos
Bases de datos
Informes
Resultados de la búsqueda
Lista de errores
Selector del espacio de trabajo
Panel de contenido

WebMatrix 2 es un producto gratuito de Microsoft para la creación de páginas Web y la gestión de sitios Web. Incluye todo lo necesario para el desarrollo de sitios Web. Podemos comenzar a partir de aplicaciones de código abierto, plantillas predefinidas o simplemente escribiendo el código de nuestras páginas desde cero. Una vez que su sitio Web ya esté funcionando, descubrirá que WebMatrix 2 le ofrece todas las funcionalidades para llevar a cabo todas las tareas de desarrollo Web. Con un simple clic, podrá editar sus archivos HTML, gestionar bases de datos o modificar la configuración del servidor.

- Para abrir un archivo del sitio Web actual: hacer clic sobre el botón **Archivos** en el selector del espacio de trabajo. En el panel de navegación, hacer doble clic sobre el nombre del archivo que se desea mostrar.
- Para crear un nuevo archivo o carpeta: En el espacio de trabajo de archivos, seleccionar el grupo **Archivo** del grupo Archivos y ejecutar el comando Nuevo>Archivo. WebMatrix permite crear automáticamente un gran número de archivos Web diferentes: HTML, CSS, Javascript, CSHTML, VBHTML, ASPX, etc.
- Para abrir un archivo Web o agregar un archivo al sitio actual: hacer clic sobre la ficha Archivo de la Cinta de opciones (en el modo de archivos del área de trabajo). Desplegar el menú Abrir y elegir el comando deseado.
- Para generar informes sobre el sitio Web: Hacer clic sobre el botón **Informes** en la parte inferior del panel situado en el lateral izquierdo del espacio de trabajo. En el área de trabajo, hacer clic sobre el botón **Crear informe para el sitio**. Especificar un nombre para el sitio y una dirección URL de inicio y hacer clic sobre el botón **Aceptar**. WebMatrix mostrará una lista con todas las incidencias y problemas potenciales localizados en el sitio Web. Haga clic sobre el vínculo Editar esta página para solucionar el problema.
- Para agregar una base de datos al sitio: Hacer clic sobre el botón **Base de datos** en la parte inferior del panel situado en el lateral izquierdo del espacio de trabajo. Hacer clic sobre el botón **Agregar una base de datos al sitio** y seguir las instrucciones del programa.

Sitio Express ×
1 problema(s)
Todo — Solo errores — Filtro
Problema | Gravedad | Acción
La dirección URL del hipervínculo está rota. | Error |
localhost:5988/ | | Editar esta página

WebSite X5 Evolution 9

Pantalla de bienvenida

Haga clic aquí para iniciar el asistente

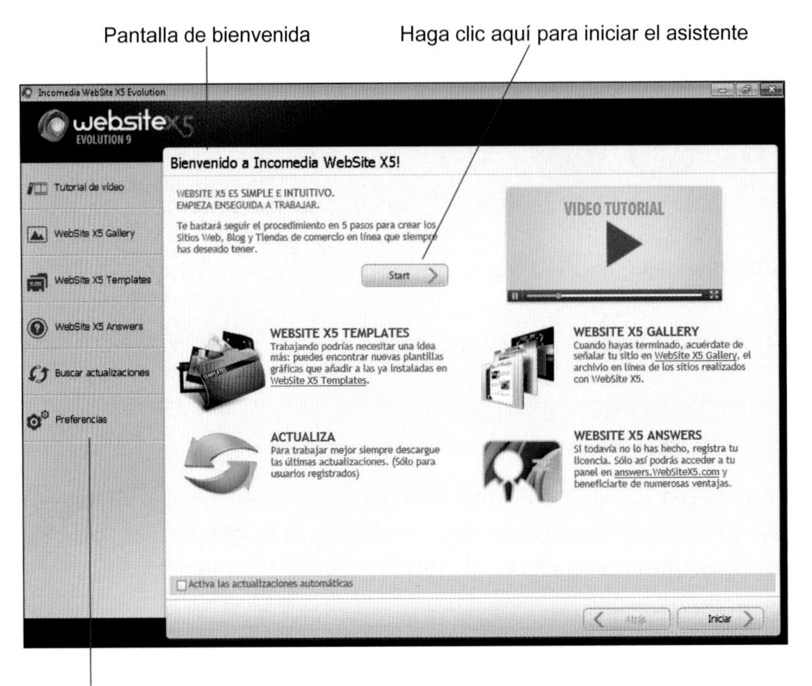

Panel de opciones y preferencias del programa

Galería de WebSite X5

Buscar

Datos de registro de usuario

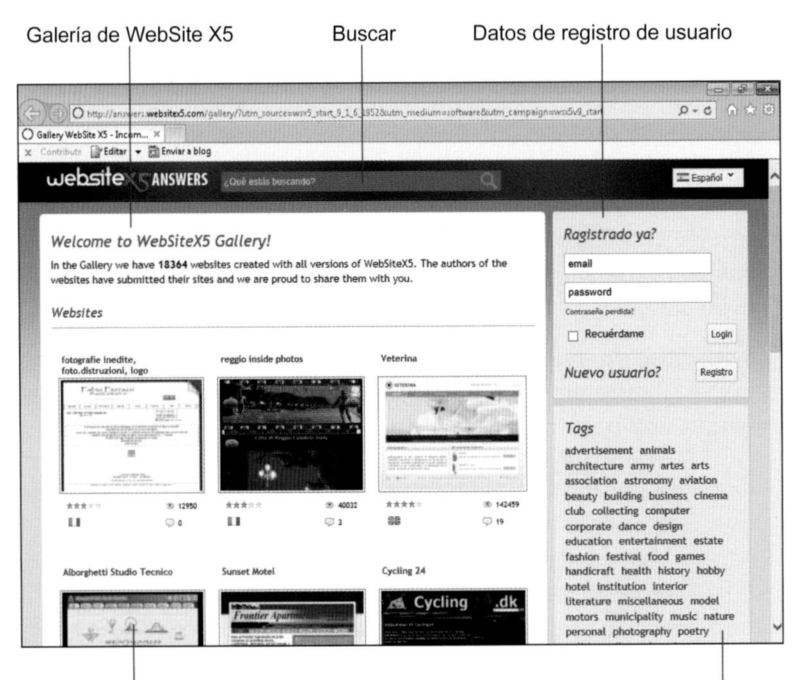

Plantillas de sitios Web

Búsqueda por etiquetas

WebSite X5 Evolution es una solución de pago procedente de Incomedia que cuenta con un variado repertorio de herramientas para la confección de páginas y sitios Web. Cuando iniciamos el programa, un asistente nos guiará a través del proceso de creación de un sitio Web. Haga clic sobre el botón **Iniciar**.

- Para abrir un proyecto de sitio Web ya existente: activar el botón de opción Editar un proyecto existente.
- Para crear un nuevo sitio Web desde el principio: seleccionar la opción **Crear un nuevo proyecto**. Escribir el nombre del nuevo proyecto y hacer clic sobre el botón **Siguiente**. En la pantalla Ajustes generales, seleccionar un título para el sitio, especificar el nombre de su autor, una dirección URL, una descripción, una serie de palabras clave para su búsqueda, especificar el idioma y seleccionar un icono para el sitio. También podrá elegir entre una serie de plantillas o crear una plantilla personalizada para el sitio. Haga clic sobre el botón **Siguiente**. Seleccionar si desea realizar algún cambio en la plantilla seleccionada y hacer clic sobre el botón **Siguiente**.

  Determinar el mapa del sitio renombrando las páginas existentes por defecto en la plantilla, añadiendo nuevas páginas o eliminando las ya existentes, subiendo y bajando las páginas en el esquema, etc. Hacer clic sobre el botón **Siguiente**.

  Utilizando los objetos disponibles en el programa, definir el contenido de las páginas. Hacer clic sobre el botón **Siguiente**. Repetir el proceso con todas las páginas a crear.

  En la pantalla Ajustes avanzados del asistente, especificar las características de los menús de navegación del sitio, los estilos y modelos de letra, el formato de la página de bienvenida y otras opciones tales como *banner* publicitarios, herramientas de gestión de acceso o de carrito de la compra, etc. Hacer clic sobre el botón **Siguiente**.

  En pantalla Exportar, seleccionar la ubicación del proyecto que se desea crear (Internet, un disco o exportar el proyecto) y hacer clic sobre el botón **Siguiente**. Especificar si es necesario la ubicación para la creación del proyecto y hacer clic sobre el botón **Iniciar**.

Amaya

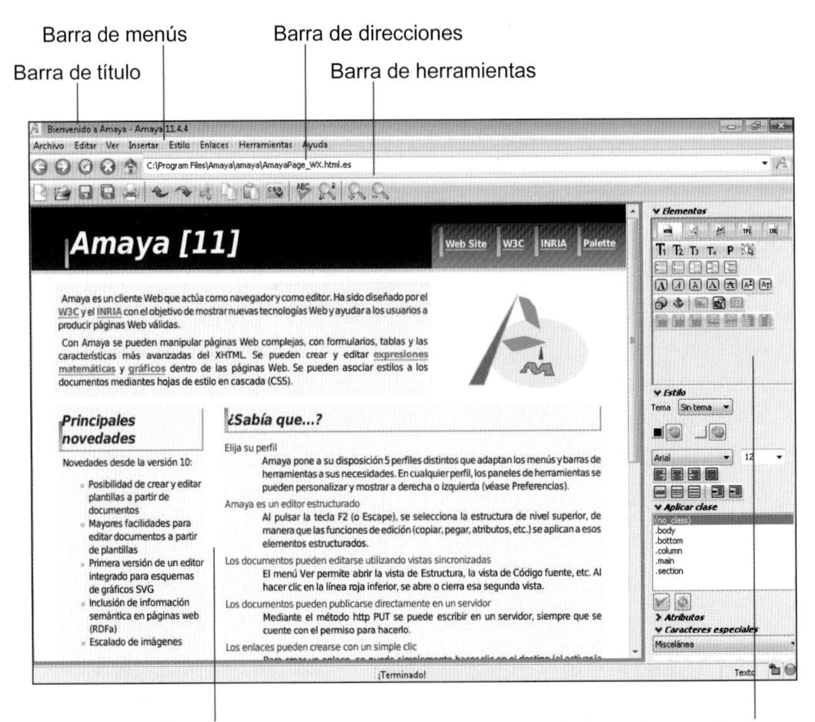
Barra de menús
Barra de direcciones
Barra de título
Barra de herramientas
Pantalla de bienvenida
Ventana de herramientas

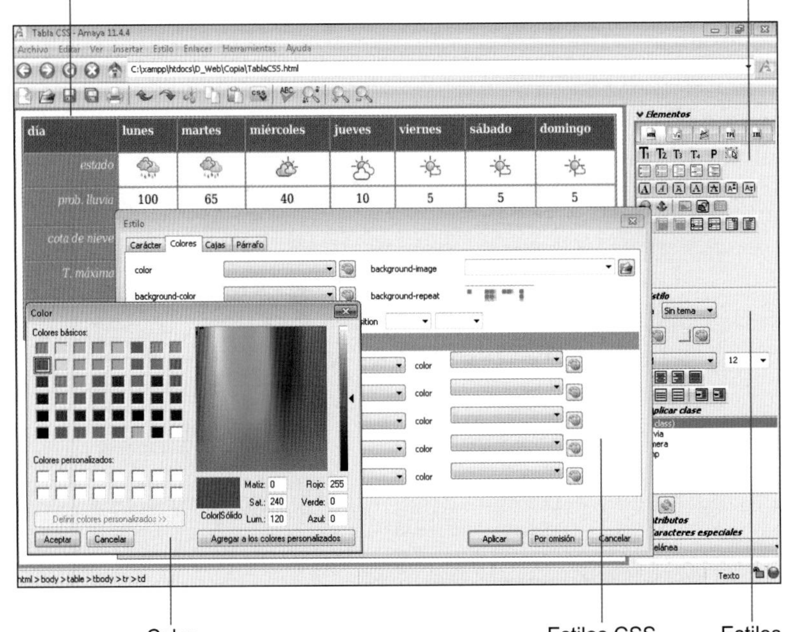
Contenido de la página
Elementos HTML
Color
Estilos CSS
Estilos

Amaya es un editor HTML que procede directamente del consorcio W3C encargado de definir los protocolos para la Web. La propia herramienta es a la vez editor HTML y navegador Web. Amaya constituye un marco de trabajo donde se integran la mayor cantidad posible de tecnologías estándar para la Web.

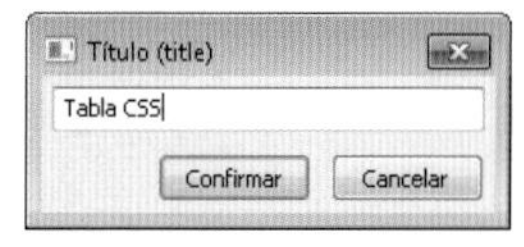

El programa dispone de una interfaz WYSIWYG (*What You See Is What You Get*, lo que se ve es lo que se obtiene), por lo que no es necesario recurrir al código fuente para crear o editar un sitio Web. Amaya soporta lenguajes como HTML 5, XHTML 1.0, XHTML Basic, XHTML 1.1, HTTP 1.1, MathML 2.0, incluyendo características del CSS 3.

- Para abrir un documento o navegar por una página Web: escribir su dirección en la barra de direcciones. O bien, ejecutar el comando Archivo>Abrir documento>Archivo (o pulsar la combinación de teclas. En el cuadro de diálogo Abrir documento, escribir la dirección del archivo que se desea abrir y seleccionar si se desea reemplazar al documento actualmente abierto, abrirlo en una nueva pestaña o en una nueva ventana.
- Para crear un nuevo documento: desplegar el submenú Archivo>Nuevo y ejecutar el comando correspondiente al tipo de documento que se desea crear (documento HTML, MatML, SVG, hoja de estilos CSS).
- Para ver el código de una página HTML: ejecutar el comando Ver>Código fuente. En el mismo menú se pueden seleccionar los distintos tipos de vistas disponibles en Amaya: estructura, enlaces, tabla de contenidos y el modo de presentación del área de trabajo: división horizontal y vertical.

día	lunes	martes	miércoles	jueves	viernes	sábado	domingo
estado							
prob. lluvia	100 \	65 \	40 \	10 \	5 \	5 \	5 \
cota de nieve		1300	1400				
T. máxima	16	13	13	15	17	16	15
T. mínima	6	7	4	5	4	4	3

```
45
46  <body>
47  <table border="1">
48    <tr>
49      <th>d&iacute;a</th>
50      <th>lunes</th>
51      <th>martes</th>
52      <th>mi&eacute;rcoles</th>
53      <th>jueves</th>
54      <th>viernes</th>
55      <th>s&aacute;bado</th>
56      <th>domingo</th>
57    </tr>
```

- Para insertar un elemento HTML: ejecutar el comando correspondiente del menú Insertar o hacer clic sobre su botón en el panel Elementos en la ventana de herramientas.
- Para definir un hipervínculo: utilizar las herramientas disponibles en el menú Enlaces de la aplicación.
- Para limpiar el código HTML de elementos supérfluos ejecutar el comando Herramientas> Limpiar código.
- Para cambiar el título de la página Web: ejecutar el comando Herramientas>Título (title) y especificar el nuevo título del documento.

NVU

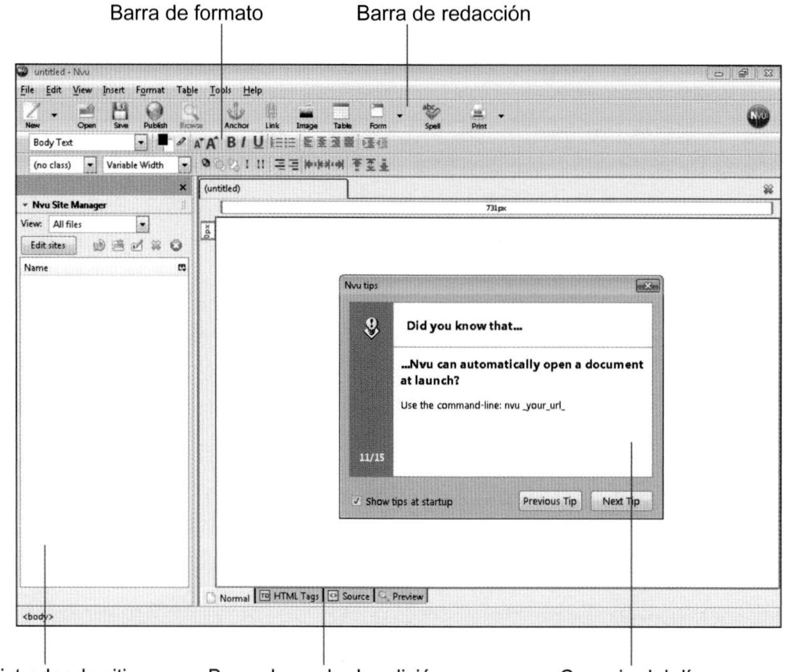
Barra de formato
Barra de redacción
Did you know that...
...Nvu can automatically open a document at launch?
Use the command-line: nvu _your_url_
Show tips at startup
Previous Tip
Next Tip
Administrador de sitios
Barra de modo de edición
Consejo del día

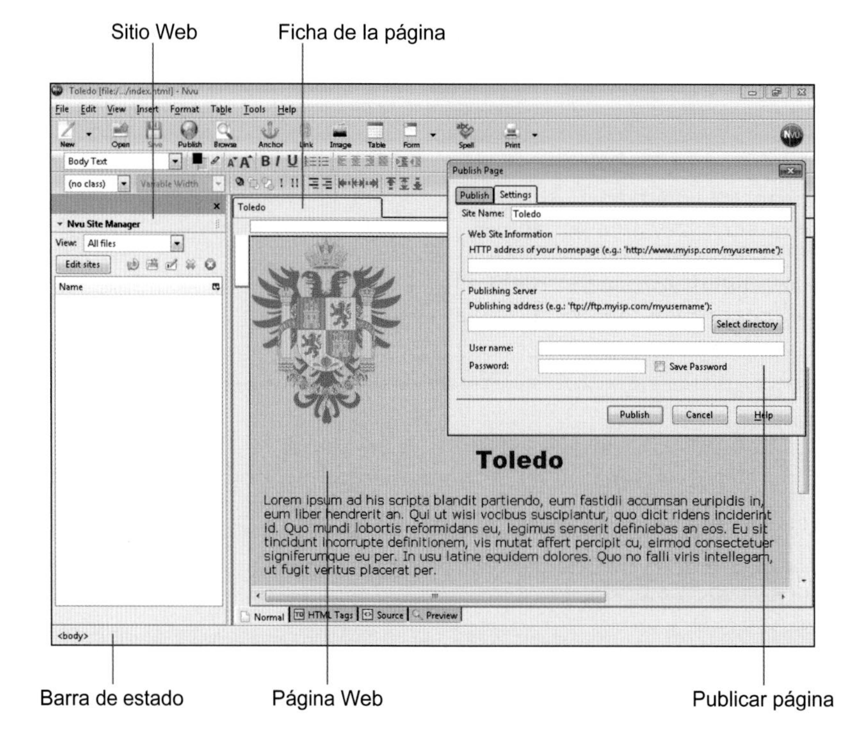
Sitio Web
Ficha de la página
Publish Page
Toledo
Barra de estado
Página Web
Publicar página

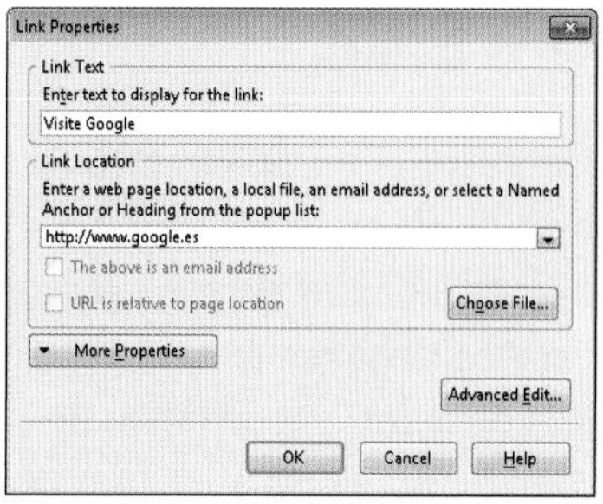

NVU es una herramienta de software libre para la creación de páginas y sitios Web. Creado por Daniel Glazman, NVU es un editor de páginas Web WYSIWYG para distintas plataformas. Está basado en Mozilla Composer, pero su ejecución es independiente. NVU está pensado para los usuarios que no tienen un gran dominio del HTML. Dispone de numerosas herramientas para la creación de páginas Web, entre las que destacan un servidor FTP integrado y un entorno de edición intuitivo que permite trabajar también fácilmente con código fuente. La versión actual del programa no ha sido traducida al castellano.

- Para configurar un nuevo sitio Web: Hacer clic sobre el botón **Edit sites** del panel Nvu Site Manager (administrador de sitios). Establecer los parámetros de ubicación y conexión al sitio Web en el cuadro de diálogo Publish Settings.
- Para cambiar entre los distintos modos de edición del programa: utilizar las fichas de la barra del modo de edición, en el borde inferior de la ventana de la aplicación, debajo del área de trabajo. O bien, utilizar las opciones del menú View (ver).
- Para insertar elementos HTML: utilizar los botones de la barra de redacción **Anchor** (enlace interno), **Link** (enlace), **Image** (imagen), **Table** (tabla) o **Form** (formulario) o elegir el comando correspondiente en el menú Insert (insertar). 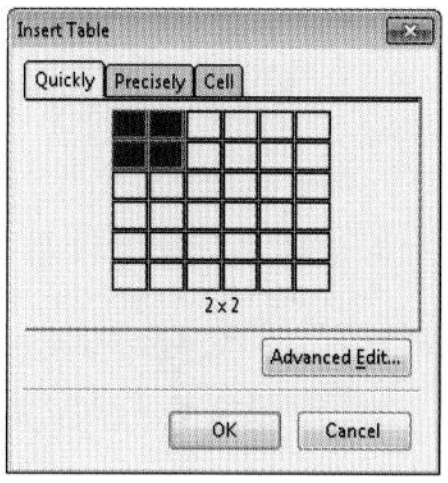
- Para dar formato a los elementos de una página HTML: utilizar los botones de la barra de formato o los comandos del menú Format.
- Para crear y editar una tabla: en el menú Table (Tabla), se encuentran todos los comandos para insertar, tablas y elementos de tablas, seleccionar filas, columnas y celdas, borrar filas, columnas y celdas, unir y dividir celdas, etc.
- Para validar el código HTML: ejecutar el comando Tools> Validate HTML (Herramientas>Validar HTML).
- Para crear y editar reglas CSS: ejecutar el comando Tools>CSS Editor (Herramientas>Editor CSS). En el cuadro de diálogo CSS Stylesheets (Hojas de estilo CSS), se muestra una lista con todas las reglas CSS establecidas para el documento actual. También se pueden crear nuevas reglas y adjuntar hojas de estilo externas. Diferentes fichas, permiten definir o modificar diferentes características de formato de la regla seleccionada.

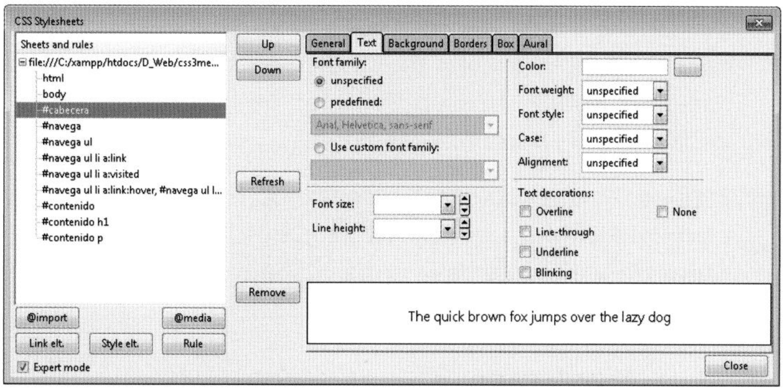

UltraEdit

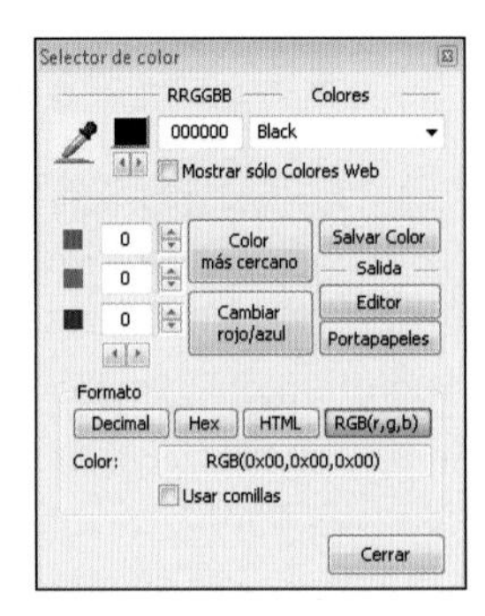

UltraEdit es un editor de textos genérico, aunque está especialmente preparado para la edición de HTML y responde a todas las necesidades de edición de los programadores. Entre sus muchas y potentes características se encuentra su FTP incorporado, su detector de sintaxis, su corrector ortográfico, etc. Permite trabajar con varios archivos de tamaño ilimitado al mismo tiempo, edición hexadecimal de archivos, configuración de colores de sintaxis para programadores (soporta por defecto HTML, Java, Javascript, C/C++ y VB, etc.

- Para abrir el navegador FTP de UltraEdit: ejecutar el comando Archivo>FTP/Telnet>Navegador. El programa también permite abrir un documento directamente a través de FTP, guardar el documento actual a través de FTP, abrir una consola de Telnet, etc.
- Para convertir el documento actual de un formato a otro: en el submenú Archivo>Conversiones, seleccionar el tipo de conversión que se desea realizar: UNIX/MAC a DOS, EBDIC a ASCII, OEM a ANSI, ASCII a Unicode o UTF8, etc.
- Para codificar o descodificar un archivo: ejecutar los comandos del submenú Archivo>Encriptación.
- Para mostrar una lista de las funciones disponibles: ejecutar el comando Buscar>Lista de funciones o pulsar la tecla **F8**.
- Para crear un nuevo proyecto o abrir uno ya existente: en el menú Proyecto, ejecutar los comandos Nuevo proyecto/área de trabajo o Abrir proyecto/área de trabajo.
- Para elegir distintos tipos de alineación del texto: elegir el comando deseado en el submenú Formato>Formato de párrafo.
- Para validar el código HTML de un documento: elegir el comando deseado en el submenú Formato>Validación HTML.
- Para mostrar el archivo actualmente seleccionado en el navegador por defecto del sistema: hacer clic sobre el botón **Mostrar archivo en navegador por defecto** de la barra de herramientas Principal.
- Para establecer el color de un elemento HTML: hacer clic sobre el botón **Selector de color** de la barra de herramientas HTML.
- Para editar las propiedades de un estilo para un elemento HTML: hacer clic sobre el botón **Generador de estilos** de la barra de herramientas HTML.

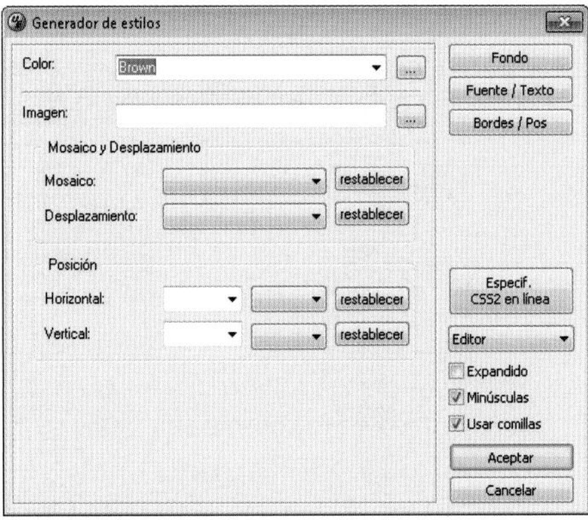

NetObjects Fusion

NetObjects Fusion es una herramienta extraordinaria tanto para la creación de páginas Web, como para conectar a bases de datos o añadir componentes sofisticados de *e-business*. Es muy fácil de utilizar y, a la vez, ofrece un gran control sobre el código HTML5 de nuestras páginas. NetObjects Fusion no permite abrir páginas HTML5 independientes de manera directa, sino que obliga a trabajar con un sitio Web completo. Su interfaz es totalmente intuitiva y permite trabajar en modo SYSIWYG o directamente con el código fuente. También disponemos de una opción de previsualización de gran utilidad.

- Para crear un sitio nuevo con el asistente: en la pantalla de bienvenida, ejecutar el comando File>New Site>Using Site Wizard. Hacer clic sobre el botón **Next**. Seleccionar el tipo de plantilla que se desea utilizar (personal o de negocios, *business*) y hacer clic sobre el botón **Next**. Seleccionar un estilo para el sitio Web y hacer clic sobre el botón **Next**. Seleccionar las páginas que se desean incluir en el sitio y su diseño activando y desactivando las distintas casillas de verificación del asistente. Introducir la información adicional deseada y hacer clic sobre el botón **Finish**.
- Para editar una página Web: si es necesario, hacer clic sobre el botón **Site** (sitio) de la barra de vistas. Hacer doble clic sobre la página en el esquema del sitio.
- Para modificar los estilos de una página: hacer clic sobre el botón **Style** de la barra de vistas. En el área de trabajo de la aplicación, podremos modificar el estilo de diferentes elementos: banner, barras de navegación principal y secundaria, estados de los botones, iconos para las list5as de datos, estilo de fondos, estilo de líneas, etc.
- Para publicar un sitio Web: en la barra de vistas, hacer clic sobre el botón **Publish**. Si es necesario, hacer clic sobre el botón **Publish settings** (también en la barra de vistas) para configurar los parámetros de conexión al servidor: tipo de servidor, ubicación del servidor, etc. Hacer clic sobre el botón **Publish Site** para publicar el sitio.

Capítulo 6

Imágenes y multimedia

Tipos de contenidos

Una vez que hayamos definido la estructura y los criterios de diseño de un sitio Web, podremos recopilar todos los elementos necesarios (textos, imágenes, animaciones, sonidos y demás elementos multimedia) que poblarán las distintas páginas del sitio.
Los elementos más comunes que incluye cualquier página Web son:

- **Texto:** Casi todos los programas de edición HTML incluyen herramientas que permiten importar diferentes formatos de archivos de texto para ser utilizados en el contenido de una página. Dependiendo del formato de origen, al colocar un texto en una página Web podrán mantenerse algunos formatos (tales como negritas, cursivas, subrayados, etc.). No obstante, hay que tener en cuenta que dichos formatos pueden no coincidir con los criterios de diseño generales del sitio.

  Algunos de los formatos de texto más extendidos son:

  txt: Es un formato de texto en bruto, es decir, no contiene formatos de texto tales como negritas, cursivas, etc. Es compatible con distintas plataformas (Macintosh, IBM, etc.). Generalmente, puede estar formado por caracteres procedentes de dos fuentes diferentes: ANSI (juego de caracteres de 8 bits utilizado por Microsoft Windows capaz de representar un total de 256 caracteres diferentes) o ASCII (subconjunto del propio juego de caracteres ANSI).

  rtf: Formato de texto enriquecido. Puede incluir formatos de texto como negritas, cursivas, etc. Generalmente, un documento de texto RTF se utiliza para transferir información entre distintas aplicaciones o, incluso, distintas plataformas.

  doc o docx: Es el formato de documento predeterminado de Microsoft Word. Además de formatos de estilo de texto como negritas, subrayados, etc. puede incluir formatos avanzados como sangrías, separaciones entre párrafos, colores, etc. Algunos de estos formatos pueden perderse al transferir un documento entre aplicaciones o entre distintas plataformas.

- **Imágenes:** Las imágenes proporcionan un aspecto más vistoso a una página Web. Todos los exploradores HTML reconocen de forma predeterminada los formatos de imagen GIF y JPEG.

  GIF: Se utiliza habitualmente para la creación de iconos y elementos decorativos. Mediante este formato podemos obtener efectos tales como transparencias o secuencias de movimiento.

  JPEG: Se usa para incluir fotografías u otro tipo de imágenes en una página Web. Este formato alcanza mayores índices de compresión por lo que reduce el tamaño de los archivos de imagen y, por tanto, el tiempo de carga de la página. Como contrapartida, el formato JPEG puede producir una pérdida en la calidad de la imagen final.

- **Sonidos:** Una página Web puede incluir sonidos como respuesta a determinados eventos del sistema tales como la apertura de la página o la utilización de un botón activable. Los formatos de sonido más comunes son:

  Wav: Formato de archivo de sonido para plataformas Windows. Es una representación digital de una señal de sonido analógica. Aunque en ocasiones puede tener algún tipo de compresión, por lo general, se almacena toda la información del sonido original. No existe pérdida de calidad, aunque el archivo resultante suele ser de gran tamaño y, por tanto, su tiempo de descarga es elevado. Para plataformas Macintosh el formato equivalente es AIFF, mientras que para plataformas SUN, el formato equivalente es AU.

  MIDI: No almacena los sonidos propiamente dichos, sino una serie de comandos o instrucciones para interpretar diferentes sonidos mediante los instrumentos de un dispositivo MIDI. Su tamaño es reducido y no experimenta ninguna pérdida de calidad.

  RealAudio: Es uno de los formatos más extendidos en la Red. Es un sistema desarrollado por Progressive Networks que permite reproducir sonidos en tiempo real gracias a un elevado índice de compresión.

- **Animaciones y vídeo:** Son secuencias de dibujos o imágenes reales que pueden ir acompañadas o no de sonido. Los formatos más comunes para su utilización en Internet son:

  Flash: Uno de los formatos de animación más extendidos en la Web hasta hace poco, pero hoy en día en declive. Generalmente es necesario disponer de un plug-in o complemento en el ordenador para visualizar correctamente un archivo de animación Flash.

  AVI: Vídeo para Windows. Puede almacenar entre 8 y 24 bits de resolución de imágenes y de 8 a 16 bits de sonido. Se trata de un formato comprimido de buena calidad y reducido tamaño (lo que permite reducir el tiempo de descarga para su utilización en la Web).

  QuickTime: Un formato equivalente a AVI para plataformas Macintosh.

  RealVideo: Desarrollado por Progressive Networks, es un estándar optimizado para la reproducción de vídeo en tiempo real en Internet. Es un formato de elevado índice de compresión. Para su reproducción es necesario que el explorador disponga de los *plug-in* o complementos necesarios.

Componentes gráficos

La utilización de elementos gráficos en una página Web realza y da vistosidad a su contenido. No obstante, utilizar demasiadas imágenes o escogerlas demasiado grandes (en cuanto a su tamaño de archivo, no en cuanto a dimensiones) puede aumentar de tal manera el tiempo de descarga de la página que cause un efecto contraproducente.
Los elementos gráficos más habituales que puede encontrar en cualquier página Web son:

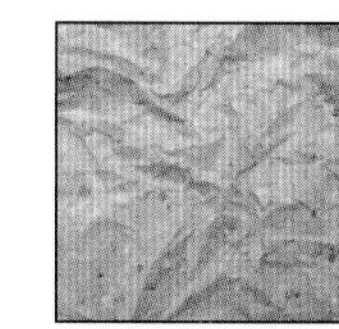

- **Fondos:** Mosaicos para utilizar como fondo de una página Web. Es conveniente escoger una imagen lo más pequeña posible que ofrezca un buen aspecto al distribuirse en forma de mosaico por la superficie de una página.

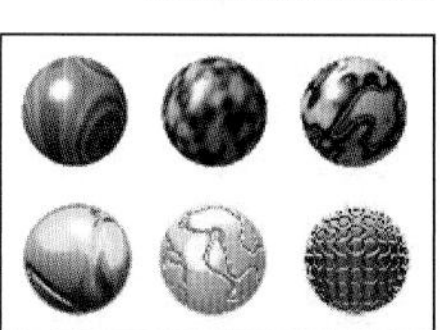

- **Viñetas:** Son los puntos que aparecen a modo de marca a la izquierda de cada punto de una lista de viñetas. Puede necesitar varios tamaños de viñetas para representar distintos niveles.

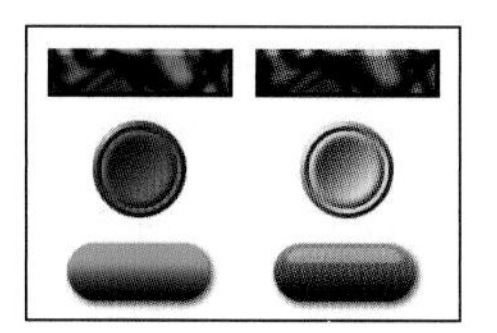

- **Botones:** Los botones sirven para que el usuario realice alguna acción sobre la página Web haciendo clic sobre su superficie. Puede sustituirse el aspecto tradicional de los botones del entorno Windows o Macintosh mediante imágenes personalizadas.

- **Flechas:** Se utilizan generalmente para representar botones que permiten navegar a través de las páginas de un sitio.

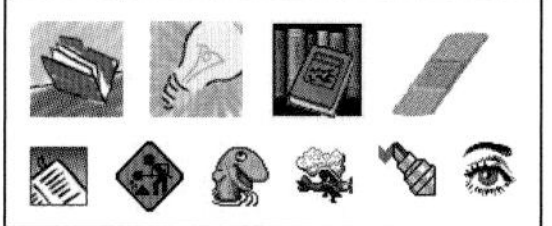

- **Iconos:** Son elementos gráficos que generalmente representan determinadas opciones o situaciones habituales en una página Web (enviar un e-mail, página en construcción, novedad, tema de interés, etc.) o simplemente como elementos decorativos.

- **Líneas de división:** Líneas o gráficos que sirven para realizar una separación entre dos secciones de la página. Al elegir un gráfico para una línea de división, piense en la resolución mínima (ancho mínimo de la página) a la que desea que los usuarios puedan visualizar la página correctamente.

Incrustar multimedia en una página Web

El lenguaje HTML permite insertar objetos multimedia en páginas Web. En versiones antiguas del lenguajes, se utilizaban principalmente las etiquetas `embed` y `object`, poco intuitivas, difíciles de implementar y con un soporte poco coherente en los distintos navegadores. Así pues, resultaba más conveniente utilizar herramientas comerciales como DreamWeaver o NetObjects para añadir este tipo de componentes a nuestras páginas. Sin embargo, HTML5 ha facilitado y mejorado enormemente esta tarea gracias a las nuevas etiquetas `video`, `audio`, `canvas` y `embed`.

Video

Su sintaxis es:

```
<video src="archivo_video" type="video/tipo_video" />
```

El parámetro `src` de `source` indica la ruta del archivo de vídeo. En el parámetro `type` especificamos el tipo de archivo de vídeo a reproducir. Su valor es el prefijo `video/` seguido de cualquier de los siguientes formatos soportados hasta el momento: `mp4`, `webm`, `ogg`. Por ejemplo:

```
<video src="concierto.mp4" type="video/mp4" />
```

Los principales atributos de la etiqueta vídeo son:

- `width` y `height`: especifican la anchura y la altura respectivamente del rectángulo donde se reproducirá el vídeo.
- `autoplay`: indica al navegador que inicie la reproducción del vídeo cuando termine de cargar la página.
- `loop`: indica al navegador que debe reiniciar automáticamente la reproducción del vídeo una vez que haya finalizado.
- `controls`: muestra en la página Web los controles de reproducción para que el usuario pueda pausar, detener y reanudar la reproducción del vídeo.

Audio

Su sintaxis es:

```
<audio src="archivo_audio" type="audio/tipo_audio" />
```

El parámetro `src` indica la ruta del archivo de sonido que se desea reproducir y el parámetro `type`, igual que en el caso de `video` sirve para especificar el tipo de archivo de audio a reproducir. Su valor es el prefijo `audio/` seguido de cualquier de los siguientes formatos soportados hasta el momento: `ogg` o `mpeg` (que se aplica tanto a los formatos de archivo `.mp3` como `.wav`. Por ejemplo:

```
<audio src="discurso.mp3" type="audio/mpeg" />
```

Los principales atributos de la etiqueta **audio** son:

- **autoplay**: inicia automáticamente la reproducción del archivo de sonido.
- **loop**: indica al navegador que debe reiniciar automáticamente la reproducción del archivo de sonido una vez finalizada.
- **controls**: muestra en la página Web los controles de reproducción para que el usuario pueda pausar, detener y reanudar la reproducción del audio.
- **preload**: permite precargar el archivo de audio para que no haya demoras en su reproducción. Sus valores posibles son: **preload="auto"** (carga el archivo mientras se carga la página), **preload="none"** (no se precarga el archivo de sonido) y **preload="metadata"** se usa para que el navegador cargue por anticipado sólo los elementos de información adicional asociada con el archivo de sonido, no el sonido en sí.

Canvas

El elementos **canvas** en HTML5 se utiliza como zona de dibujo o "lienzo" para dibujar gráficos en una página Web, generalmente mediante código Javascript. Su sintaxis básica es:

```
<canvas id="nombre_lienzo" width="ancho_lienzo" height="alto_lienzo"></canvas>
```

Especifique siempre un identificador **id** para poder hacer referencia al lienzo en cualquier *script*, así como las dimensiones del mismo mediante los atributos **width** y **height**.
Aquí tiene un ejemplo de creación de un lienzo con Canvas, en el que hemos dibujado un degradado de color en su interior. Escriba este código dentro de las etiquetas **<body>** y **</body>** de su página Web:

```
<canvas id="miCanvas" width="200" height="100" style="border:1px solid #000000;">
</canvas>

<script languaje="Javascript" type="text/javascript">
var c=document.getElementById("miCanvas");
var ctx=c.getContext("2d");

// Crear el degradado
var grd=ctx.createLinearGradient(0,0,200,0);
grd.addColorStop(0,"red");
grd.addColorStop(1,"white");

// Rellenar con degradado
ctx.fillStyle=grd;
ctx.fillRect(10,10,150,80);
</script>
```

Embed

Finalmente, la etiqueta **embed** de HTML5 sirve para incrustar otros tipos de contenidos multimedia no reflejados en los apartados anteriores.
Su sintaxis más básica es:

```
<embed src="nombre_archivo">
```

Los atributos principales de la etiqueta **embed** en HTML5 son:

- `height`, `width`: especifican respectivamente la altura y la anchura del contenido incrustado.
- `src`: especifica la dirección del archivo externo que se quiere incrustar en la página (por ejemplo, un archivo `.swf` de Flash).
- `type`: es el tipo MIME del contenido incrustado. Algunos de los tipos MIME. Por ejemplo, `application/x-shockwave-flash` para flash.

Aquí tiene el ejemplo completo de una etiqueta **embed** para mostrar un contenido Flash en un documento HTML5. Escriba la siguiente sentencia dentro de las etiquetas **<body>** y **</body>** de su página Web:

```
<embed src="miflash.swf" type="application/x-shockwave-flash">
```

Archivo Flash de ejemplo procedente de la Web Free Nice Templates

Teoría del color

A lo largo de la historia, se han ido desarrollando diferentes teorías para describir y pautar el uso del color tanto en las artes como en las ciencias. Algunas de estas teorías más conocidas son las de Newton, Goethe o la de Ostwald.

Estas teorías, conocidas como "teorías del color" suelen representar los componentes básicos del color mediante lo que se denomina "círculo cromático", una circunferencia donde se representan los colores básicos y el resultado de sus combinaciones.

El círculo cromático se representa habitualmente dividido en 12 partes y los colores primarios se colocan sobre el círculo equidistantes entre sí. A partir de cada par de colores primarios se construye un color secundario que es la mezcla de amos y que se sitúa en el círculo cromático equidistante a los esos dos colores primarios. Finalmente, se dibujan los colores terciarios, que son la mezcla entre un color primario y cada color secundario adyacente.

Los colores se pueden definir mediante una serie de propiedades:

- **Matiz:** es el estado puro del color, sin blanco ni negro añadido, el color en sí mismo. Está asociado con la longitud de onda que emite dicho color. Los tres matices o colores primarios son el rojo, el azul y el amarillo.
- **Saturación o intensidad:** Representa la pureza o intensidad de un color o matiz en concreto, su viveza o su palidez. Puede relacionarse con el ancho de banda de la luz. Se puede definir como la cantidad de gris que contiene el color. Cuanto más gris es el color se dice que es más neutro, menos brillante o menos saturado.
- **Brillo:** también se denomina tono. Describe la claridad u oscuridad de un color. Hace referencia a la cantidad de luz que se percibe. Los distintos brillos de un color se obtienen agregando blanco o negro al color puro. Cuanto más negro se añade, más oscuro es el color. Si se añade blanco, vamos aclarando el color.

Trabajar con colores en una página Web

Existen dos métodos genéricos para especificar un color para cualquier elemento de una página Web que lo permita:

- **Mediante su nombre.** La mayoría de los navegadores aceptan la denominación de algunos colores mediante nombres (en inglés). Es un método efectivo para clarificar el código fuente de nuestras páginas Web, pero un error de tecleo se traducirá en que el navegador no pueda interpretar el color especificado.
- **Mediante su código hexadecimal.** La forma de representar cualquier color del espectro es utilizar un triplete de valores hexadecimales que representan las componentes de rojo, verde y azul de dicho color. Cada componente de color puede tomar 256 valores (de 00 a FF en hexadecimal), para componer un total de 16.777.216 colores. El código de color se precede de un símbolo # que representa que el valor a continuación es un valor hexadecimal.

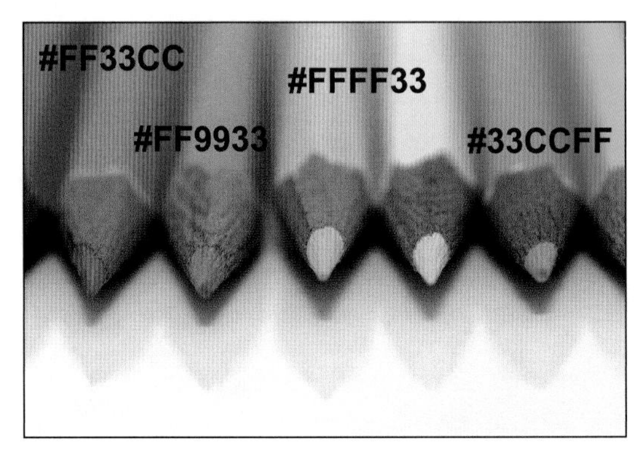

La siguiente tabla ilustra algunas de las equivalencias de nombres y códigos hexadecimales de algunos de los colores más empleados en programación Web:

Nombre	Valor	Nombre	Valor	Nombre	Valor
AliceBlue	#F0F8FF	Ivory	#FFFFF0	Purple	#800080
Aqua	#00FFFF	Lavender	#E6E6FA	Red	#FF0000
Beige	#F5F5DC	Lime	#00FF00	Salmon	#FA8072
Blue	#0000FF	Magenta	#FF00FF	SeaGreen	#2E8B57
Brown	#A52A2A	Maroon	#800000	Sienna	#A0522D
Chocolate	#D2691E	Moccasin	#FFE4B5	Silver	#C0C0C0
Cyan	#00FFFF	Navy	#000080	Tomato	#FF6347
Fuchsia	#FF00FF	Olive	#808000	Turquoise	#40E0D0
Gold	#FFD700	Orange	#FFA500	Violet	#EE82EE
Gray	#808080	Orchid	#DA70D6	Wheat	#F5DEB3
Green	#008000	PaleGreen	#98FB98	White	#FFFFFF
Indigo	#4B0082	Pink	#FFC0CB	Yellow	#FFFF00

Sistemas de color

Existen diferentes formas de componer o crear un color:

- El modelo de color RYB se basa en el rojo, el amarillo y el azul como colores primarios. El resto de los colores puros se pueden crear a partir de estos. Es un modelo cuyo ámbito de aplicación suele ser el arte y la pintura tradicionales.

- El modelo de color RGB (o RVA) se basa en la mezcla de luz de colores. Según este modelo, los componentes básicos del color son el rojo, el verde y el azul. Es un modelo de color aditivo, en el que los colores secundarios, terciarios, etc. se consiguen mediante la suma de los colores primarios. Si no hay ningún componente de luz de color, el color que se percibe es el negro. Éste es el sistema de color en el que se basan por lo general todos los tipos de pantallas y proyectores de vídeo y televisión.

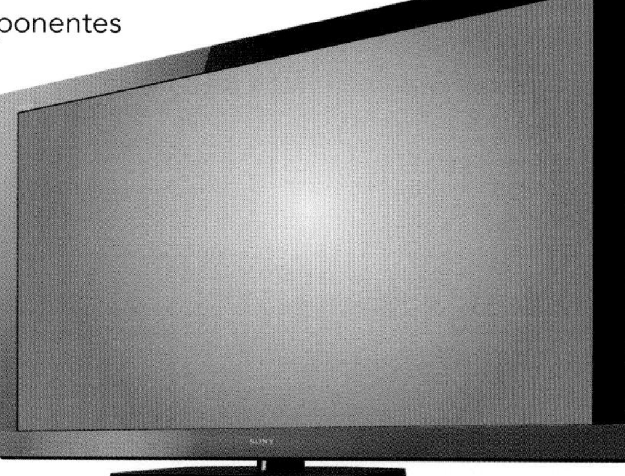

- El modelo de color conocido como CMYK (también conocido por sus siglas en español CMAN) se suele utilizar para labores de impresión y se basa en un conjunto de cuatro colores primarios: cian, magenta, amarillo y negro, que se crea por la mezcla de todos los colores. Esto significa que este modelo de color es sustractivo. Así pues, se asume que el color blanco puro está representado por la ausencia total de color (ya que es un modelo de color que se utiliza habitualmente en imprenta, se asume que el blanco es el color del papel o soporte de impresión).

Tipos de imágenes para la Web

Existen numerosos formatos de archivo para almacenar y mostrar imágenes en un ordenador, pero solamente tres de ellos son apropiados para su utilización en Internet:

- **GIF:** es el acrónimo de *Graphic Interchange Format*, creado por Compuserve. Es un formato de archivo en el que se produce compresión de la información pero no hay pérdida de calidad de la imagen. Se basa en una paleta de colores variable, es decir, una paleta en la que se almacenan solamente los colores disponibles realmente en la imagen. Tiene un límite de 256 colores y permite la utilización de transparencias. También se caracteriza por permitir la creación de animaciones sencillas. Gracias a su compresión, se logran archivos de imágenes de muy poco peso, apropiados para la Web, aunque su reducida paleta de colores ofrece malos resultados para fotografías reales, aunque es ideal para ilustraciones y dibujos con tintas planas.

- **JPEG:** son las siglas de *Joint of Photographic Experts Group*. Es un formato con compresión, pero en el que se produce cierta pérdida de calidad de la imagen. Utiliza una paleta de colores real, es decir, una paleta en la que se describe la gama completa de colores del formato seleccionado. Admite hasta 16 millones de colores, aunque no se puede utilizar transparencia. Es un formato apropiado para la representación de fotografía en la Web. La calidad de la imagen y el tamaño de la misma son factores a evaluar en la creación de un archivo JPEG para la Web.
- **PNG:** son las siglas de *Portable Networks Graphic*. Es un formato basado en un algoritmo de compresión sin pérdidas. Es un formato nacido para resolver las deficiencias del formato GIF en cuanto a la profundidad de color. Trabaja con una paleta de colores variable con una profundidad de millones de colores. Permite la utilización de transparencias.

Ajuste de imágenes

Cuando se desean utilizar fotografías en una página Web como elementos gráficos para transmitir información o simplemente para mejorar el aspecto de la página suele ser preciso realizar alguna operación de ajuste para adaptar la imagen a las necesidades de Internet.
Algunos programas de edición fotográfica como Adobe Photoshop CS6 permiten realizar toda una amplia gama de ajustes a cualquier fotografía.
Para ajustar el brillo y el contraste de una imagen con Photoshop:

1. Ejecutar el comando **Imagen>Ajustes>Brillo/Contraste**.
2. En el cuadro de diálogo **Brillo/Contraste**, activar la casilla de verificación **Previsualizar** para comprobar los efectos del ajuste en la imagen original a medida que se realizan los cambios.
3. Desplazar las barras deslizantes **Brillo** y **Contraste** para modificar las propiedades de la imagen.
4. Hacer clic sobre el botón **OK**.

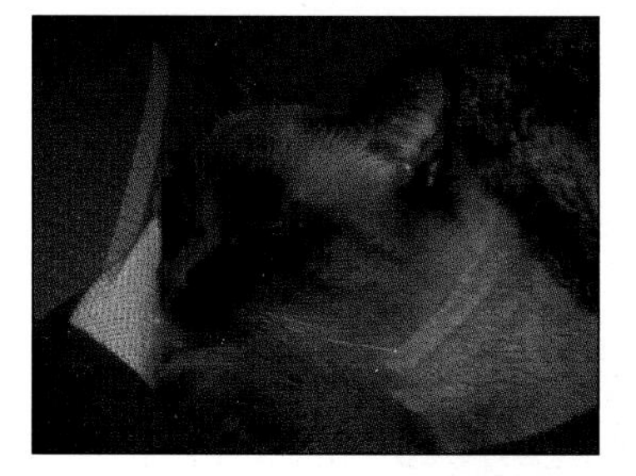

Brillo/contraste
Brillo: 80
Contraste: -10
Usar heredado
OK
Cancelar
Automático
Previsualizar

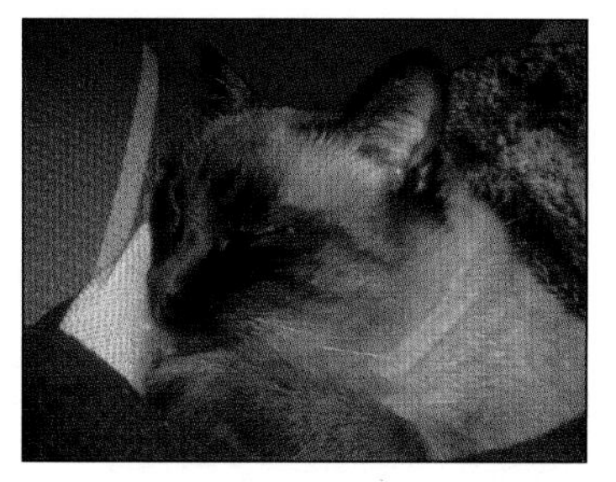

Para ajustar los valores de tono y saturación de una imagen:

1. Ejecutar el comando **Imagen>Ajustes>Tono/Saturación**.
2. Desplazar las barras deslizantes **Tono**, **Saturación** y **Luminosidad** para modificar las propiedades de la imagen.
3. Hacer clic sobre el botón **OK**.

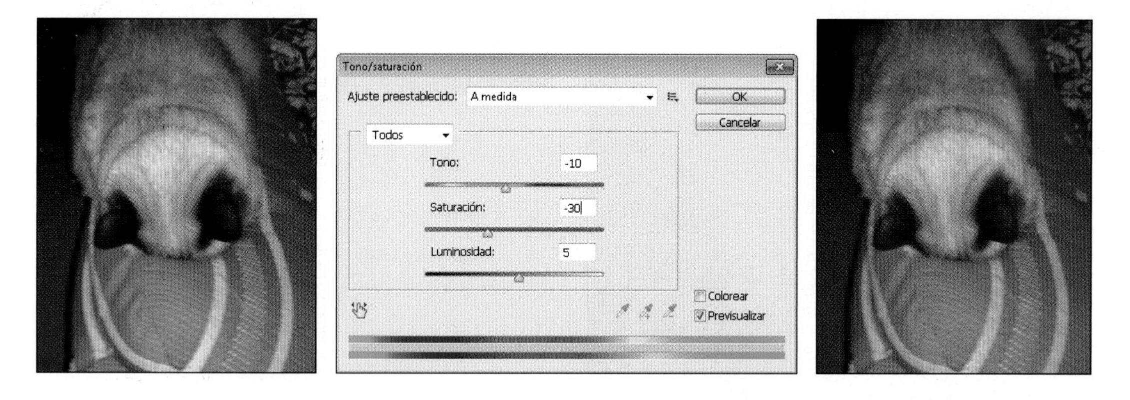

Filtros

Mediante la utilización de filtros pueden conseguirse interesantes efectos artísticos para una fotografía. Para aplicar un filtro a una imagen con Photoshop:

1. Ejecutar el comando **Filtro> Galería de filtros.**
2. En la lista central del cuadro de diálogo **Galería de filtros,** desplegar la categoría que contiene el filtro que se desea utilizar haciendo clic sobre el icono en forma de triángulo situado en el margen izquierdo.
3. Hacer clic sobre el icono correspondiente al filtro. La imagen de muestra en el margen izquierdo del cuadro de diálogo mostrará una vista preliminar de la fotografía.
4. Mediante los controles del margen derecho del cuadro de diálogo, realizar las modificaciones deseadas en los parámetros del filtro actualmente seleccionado.
5. Hacer clic sobre el botón **OK**.

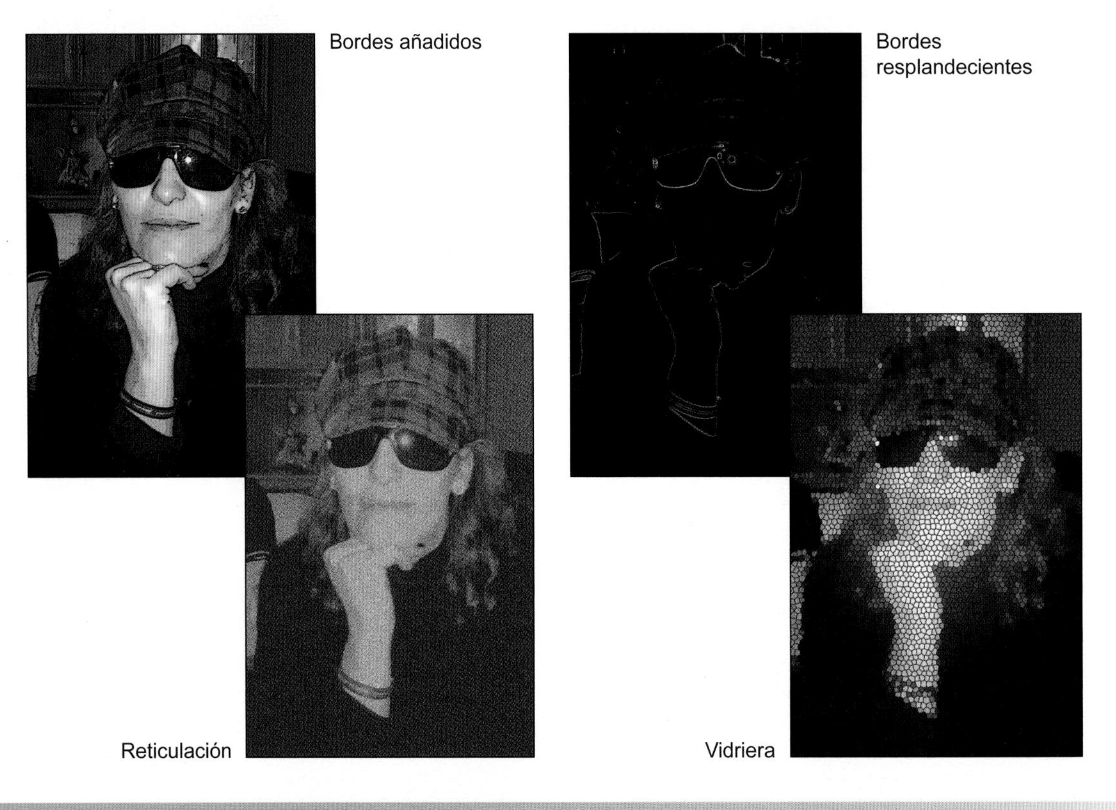

Efectos

Photoshop ofrece la posibilidad de incluir textos y otros elementos lineales (rectángulos, rectángulos redondeados, círculos, elipses, texto, etc.) en una fotografía y aplicarles efectos tales como brillos, sombras, relieves, etc. Para crear un texto con efecto en Photoshop CS6:

1. En la caja de herramientas hacer clic sobre la herramienta **Texto horizontal** para seleccionarla.

2. Mediante las paletas de propiedades, definir las características del texto que se desea crear: fuente, estilo, tamaño, color, etc.
3. Hacer clic sobre la imagen en el punto donde se desee incluir el texto.
4. Seleccionar cualquier herramienta de la caja de herramientas (distinta de la herramienta **Texto horizontal**) para dar por finalizada la edición del texto.
5. Ejecutar el comando Capa>Estilo de capa>Opciones de fusión.
6. En la lista Estilos situada en el margen izquierdo del cuadro de diálogo Estilo de capa, activar la casilla de verificación correspondiente al estilo que se desee aplicar al objeto.
7. Si es necesario, activar el estilo de capa que se desea editar haciendo clic sobre su nombre. Mediante los controles centrales del cuadro de diálogo, modificar las propiedades del estilo en la forma deseada.
8. Hacer clic sobre el botón **OK** para validar los cambios.

Nota: Puede activar o desactivar los distintos estilos de capa activando o desactivando las casillas de verificación correspondientes situadas a la izquierda del nombre del estilo.

Redimensionar imágenes

Si las dimensiones de una imagen exceden el espacio disponible en la página Web, podemos redimensionarla para que se ajuste a nuestras necesidades. Generalmente, al cambiar de tamaño una imagen también se modifica el tamaño del archivo correspondiente. Si se reducen las dimensiones de la imagen disminuirá el tamaño del archivo y, por lo tanto, se reducirá su tiempo de carga.
Para redimensionar una imagen con Photoshop:

1. Ejecutar el comando **Imagen>Tamaño de imagen**.
2. Activar la casilla de verificación **Restringir proporciones** para mantener constantes las proporciones de la imagen reduciendo o ampliando su altura o anchura en el mismo porcentaje.
3. En la lista desplegable del borde inferior del cuadro de diálogo, seleccionar la técnica de muestreo que se desea aplicar a la imagen para mantener la calidad de la misma al redimensionarla.

Tamaño de imagen
Dimensiones en píxeles: 6,81 MB
Anchura: 1272 Píxeles
Altura: 1871 Píxeles
Tamaño del documento:
Anchura: 44,87 Centímetros
Altura: 66 Centímetros
Resolución: 72 Píxeles/pulgada
Cambiar escala de estilos
Restringir proporciones
Remuestrear la imagen:
Bicúbica automática
OK
Cancelar
Automático...

4. En los cuadros de texto **Anchura** o **Altura** disponibles escribir las nuevas dimensiones de la imagen (en píxeles, porcentaje de ampliación o cualquiera de las unidades de medida que ofrece el programa).
5. Hacer clic sobre el botón **OK**.

Guardar imágenes para la Web

Habitualmente, las dimensiones y la resolución de una fotografía en formato digital son excesivas para su empleo en la Web. Por ejemplo, para visualizar una fotografía en la pantalla del ordenador una resolución de 72 puntos por pulgada suele ser suficiente para obtener una buena calidad de imagen. Dependiendo del uso que se quiera dar a una imagen, es posible optimizarla para su empleo en la Web eligiendo distintos formatos de archivo (JPEG, GIF, PNG,...) y diferentes calidades.

Para almacenar una imagen optimizada para la Web con Photoshop:

1. Ejecutar el comando **Archivo>Guardar para Web**. Se abrirá en pantalla la ventana del mismo nombre con distintas combinaciones de ajustes de la imagen seleccionada.
2. Para probar distintos formatos de imagen, seleccionar cualquiera de las cuatro representaciones disponibles en la ventana **Guardar para Web y dispositivos** y, en la lista desplegable **Ajuste prestablecido** del lateral derecho de la ventana, seleccionar el formato de archivo deseado para la optimización. Dependiendo del formato seleccionado, el resto del panel mostrará distintos grupos de opciones para configurar el ajuste.

Formato de imagen	Descripción
GIF	Su objetivo es reducir al máximo el tamaño del archivo resultante a base de limitar el número de colores disponibles en la imagen. En sus distintas versiones, este formato permite elegir la calidad, el tipo de paleta deseada para el formato de imagen, el número de colores permitidos, el algoritmo y el porcentaje de tramado, la definición de transparencias y su tramado, el ajuste de colores para la Web, etc.
JPEG	Ofrece la mejor calidad de imagen intentando reducir el tamaño del archivo resultante aplicando un algoritmo de compresión. En sus distintas versiones, este formato permite elegir la calidad y el porcentaje de compresión, crear un efecto de desenfoque de la imagen, definir un color de transparencia, etcétera.
PNG	Es un formato de imagen optimizado para la Web. En sus distintas versiones, este formato permite elegir el algoritmo de reducción de color y el número de colores de la paleta, algoritmos y porcentajes de tramado, definición de transparencias, el ajuste de colores para la Web, etc.

Para mostrar una previsualización completa de los ajustes de optimización actuales: Hacer clic sobre la ficha **Optimizado** situada en la esquina superior izquierda de la ventana **Guardar para Web y dispositivos**.

Para comparar distintos ajustes de optimización:

1. En la ventana **Guardar para Web y dispositivos**, activar las fichas **2 copias** o **4 copias** dependiendo del número de comparaciones deseadas.
2. Hacer clic sobre la imagen correspondiente al sector donde se desee mostrar la previsualización del nuevo ajuste.
3. En los controles del lateral derecho de la ventana, seleccionar el tipo de ajuste deseado.
4. Repetir los pasos 2 y 3 para mostrar distintos ajustes en el área de previsualización.

Para definir un color de transparencia para la imagen (los píxeles de dicho color serán transparentes y dejarán ver el contenido situado bajo ellos en la página Web):

1. Seleccionar la herramienta **Cuentagotas** en el lateral izquierdo de la ventana **Guardar para Web**.
2. Hacer clic sobre la imagen en un punto del color que se desee establecer como color de transparencia.
3. Si es necesario, activar la casilla de verificación **Transparencia** en el grupo de opciones correspondiente en el lateral derecho de la ventana.
4. En el cuadro combinado contiguo etiquetado como **Halo**, hacer clic sobre el icono en forma de punta de flecha situado en el lateral derecho y ejecutar el comando **Color de cuentagotas**.

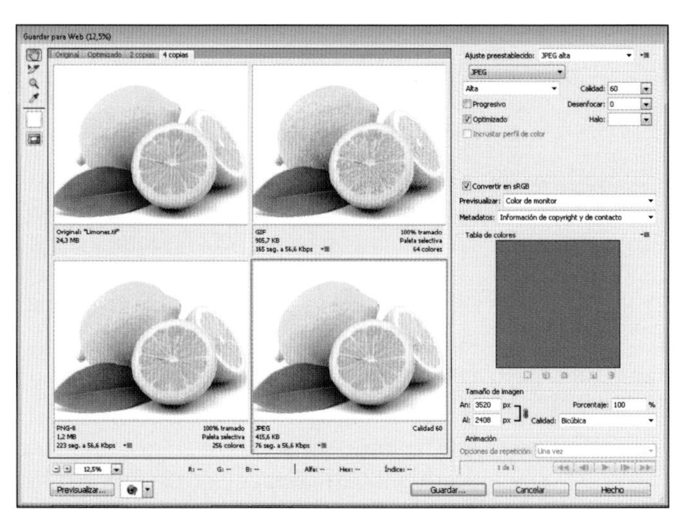

GIF animados

Un GIF animado permite crear una animación a partir de varias imágenes que se van alternando cíclicamente permaneciendo determinado tiempo en pantalla. Para crear un GIF animado con Photoshop CS6:

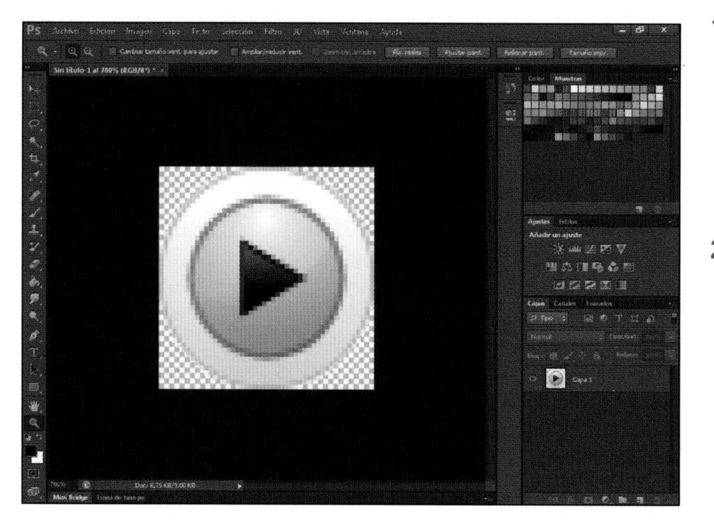

1. Crear un nuevo archivo de imagen ejecutando el comando Nuevo del menú Archivo de Photoshop o pulsando la combinación de teclas **Control-N**.
2. En el cuadro de diálogo Nuevo seleccionar las dimensiones de la nueva imagen mediante los cuadros de texto Anchura y Altura y especificar, si se desea un nombre para el archivo en el cuadro de texto Nombre.
3. En la lista desplegable Contenido de fondo, seleccionar la opción Transparente y hacer clic sobre el botón **OK** para crear la nueva imagen.
4. Si es necesario, mostrar la ventana Capas ejecutando el comando Capas del menú Ventana o pulsando la tecla **F7**.
5. Abrir el archivo que contiene la primera imagen que se desea incluir en el GIF animado, seleccionar su contenido y copiarlo al Portapapeles de Windows ejecutando el comando Edición>Copiar o pulsando la combinación de teclas **Control-C**.
6. Activar la ventana de la imagen del GIF animado y ejecutar el comando Pegar del menú Edición.

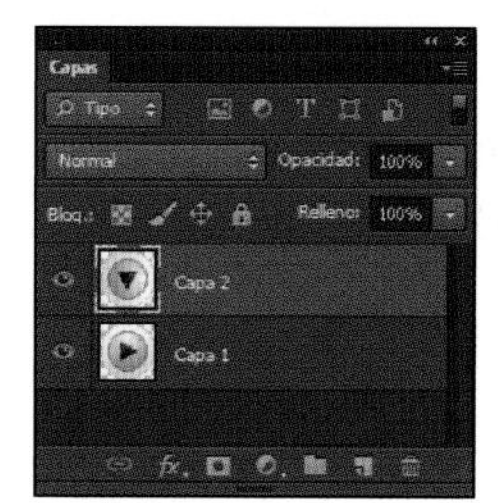

7. Para añadir una nueva imagen al GIF animado, hacer clic sobre el icono **Crear una capa nueva** en el borde inferior de la ventana Capas.
8. Si es necesario, activar la nueva capa haciendo clic sobre su nombre en el panel Capas.
9. Repetir los pasos 5 a 8 hasta crear tantas capas (e imágenes) como se deseen incluir en el GIF animado.

10. Abrir el panel **Línea de tiempo** ejecutando el comando **Ventana>Línea de tiempo**. En la parte central del panel, hacer clic sobre el botón en forma de punta de flecha y seleccionar si es necesario la opción **Crear animación de fotogramas**.

11. Hacer clic sobre el botón **Crear animación de fotogramas**.
12. Hacer clic sobre el icono en la esquina superior derecha del panel **Línea de tiempo** y, en el menú contextual, ejecutar el comando **Crear cuadros a partir de capas**.
13. En la lista desplegable de la esquina inferior izquierda del panel, seleccionar el comando correspondiente al tipo de ciclo deseado para el GIF animado:
    - **Una vez**: Muestra todas las imágenes del GIF animado una sola vez y se detiene la animación.
    - **3 veces**: Repite la animación un total de tres veces.
    - **Infinito**: Es la opción más frecuente. Muestra cíclicamente todas las imágenes del GIF animado. Una vez alcanzada la última imagen el ciclo se repite volviendo a empezar por la primera en un ciclo infinito.
    - **Otro**: Permite definir el número de ciclos que se desea repetir la animación. En el cuadro de texto **Reproducir** del cuadro de diálogo **Definir recuento de repeticiones**, escribir el valor deseado y hacer clic sobre el botón **OK**.
14. Para cada cuadro de la animación, hacer clic sobre botón de duración situado en la esquina inferior derecha de su imagen y, en el menú desplegable seleccionar el tiempo que se desea mantener visible cada imagen haciendo clic sobre el comando correspondiente. (**Sin retardo** establece la duración en 0 segundos. **Otro** permite establecer un tiempo de retardo personalizado.)
15. Ejecutar el comando **Archivo>Guardar para Web**.
16. En la lista desplegable **Ajuste prestablecido** de la ventana **Guardar para Web**, seleccionar el tipo de archivo GIF que se desea generar: GIF 128, GIF 32, con tramado, sin tramado, etcétera

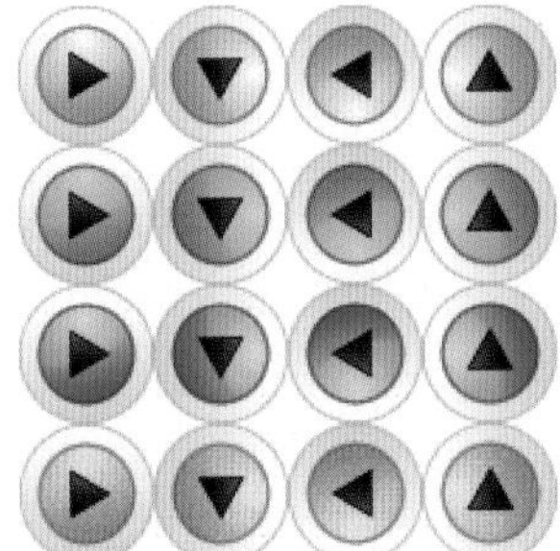

17. Si se desea, establecer los restantes ajustes de la imagen mediante los controles de la ventana.
18. Hacer clic sobre el botón **Guardar**.
19. En el cuadro de diálogo **Guardar optimizada como**, localizar la carpeta donde se desea almacenar el archivo de imagen del GIF animado, escribir si es necesario un nombre en el cuadro de texto **Nombre** y hacer clic sobre el botón **Guardar**.

Sonidos

Los formatos de archivo disponibles para reproducir un sonido de fondo en la Web hasta hace poco eran bastante limitados. Por ejemplo, uno de los formatos más difundidos, mp3, no podía reproducirse directamente en una página Web. Hoy en día, gracias a las nuevas características de HTML5, incrustar archivos de audio en nuestro código HTML es tan sencillo como lo es la etiqueta `<audio>`. No obstante, en alguna ocasión, puede resultarnos conveniente modificar el formato de cualquiera de nuestros archivos gráficos, ya sea para ajustar su tamaño o para cambiar su formato. Existen en el mercado numerosas aplicaciones que permiten convertir distintos formatos de audio. Un ejemplo de ellas es la herramienta gratuita Free Mp3 Wma Converter. Para convertir un archivo de sonido con este programa:

1. Ejecutar el comando Archivo>Añadir archivos o pulsar la combinación de teclas **Control-F** para abrir el cuadro de diálogo Añadir archivos. Localizar la carpeta que contiene los archivos a convertir, seleccionarlos y hacer clic sobre el botón **Abrir**. También se pueden arrastrar directamente los archivos al panel Archivos a convertir de la aplicación desde cualquier ventana de archivos del sistema.
2. En la sección Configuración de salida, especificar los parámetros de salida de los archivos convertidos: Directorio de salida (carpeta donde se almacenarán los archivos convertidos), Formato de salida y Tipo de formato (parámetros que dependerán del formato de salida seleccionado).
3. Hacer clic sobre el botón **Convertir** para iniciar el proceso de conversión. Una serie de indicadores de progreso nos irán informando del porcentaje de conversión de cada archivo.
4. Hacer clic sobre el botón **Salir** para cerrar la aplicación

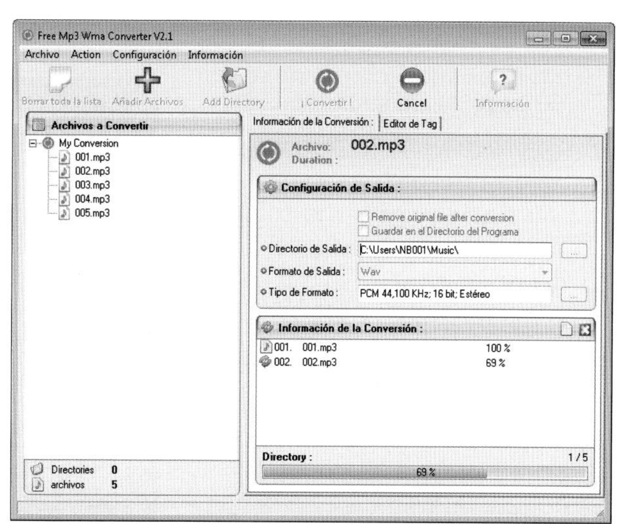

Vídeo

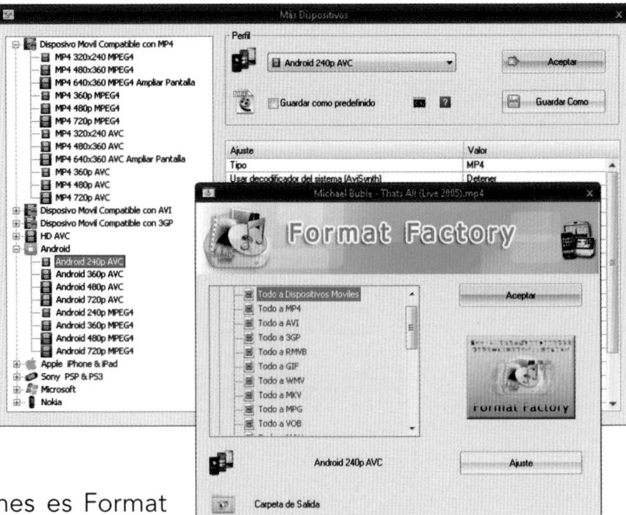

Incluir un archivo de vídeo en una página Web es sencillo hoy en día gracias a la etiqueta `<video>` de HTML5. No obstante, los tipos de archivos de vídeo que se pueden emplear son limitados, por lo que puede ser necesario realizar una conversión de nuestros vídeos a un formato más apropiado para su publicación en Internet.

Un programa de gran versatilidad para realizar este tipo de conversiones es Format Factory. Para convertir un vídeo o un grupo de vídeos con este programa:

1. Abrir una ventana del explorador con los archivos de vídeo que se desean convertir, seleccionarlos y arrastrarlos hacia el área de trabajo de Format Factory. En el cuadro de diálogo que aparece en pantalla, seleccionar el formato de destino (por ejemplo, Todo a SWF para crear una película Flash con el archivo de vídeo) y, si es necesario, hacer clic sobre el botón **Ajuste** para especificar aún con más detalle los parámetros de la conversión. Una vez satisfecho con dichos parámetros, hacer clic sobre los botones **Aceptar** de ambos cuadros de diálogo para validar los cambios.

2. Para modificar la ubicación de destino de los archivos de vídeo convertidos, hacer clic sobre el botón **Opción** y asegurarse de que está seleccionada la opción del mismo nombre en el panel de iconos del lateral izquierdo del cuadro de diálogo Opción. En el cuadro de texto Carpeta de salida, escribir la ubicación de la carpeta o hacer clic sobre el botón **Cambiar** para localizarla en el sistema. Desde este cuadro de diálogo, también se pueden definir otras opciones como la de apagar el ordenador una vez completada la conversión o la de agregar al nombre del archivo resultante la información del ajuste seleccionado. Hacer clic sobre el botón **Aceptar** una vez completada la configuración.

3. Hacer clic sobre el botón **Iniciar**. Una vez completada la conversión, se oirá un sonido y se mostrará un mensaje junto a los iconos de notificación de Windows.

Crear una animación con Flash

Adobe Flash permite crear animaciones en uno de los formatos más extendidos de la Web. Para crear una nueva animación con Adobe Flash CS6:

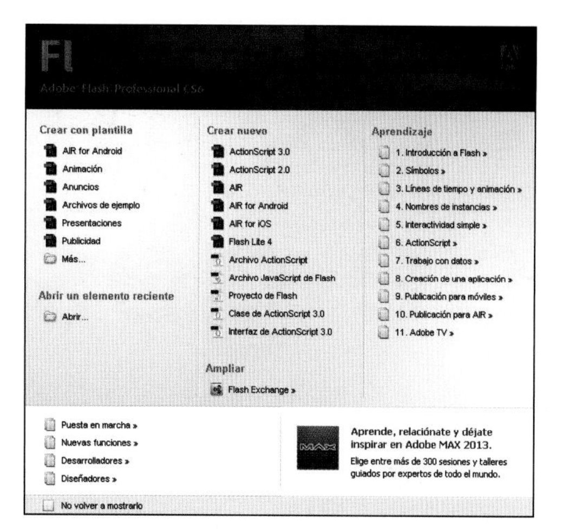

1. En la pantalla de presentación de Flash, hacer clic sobre la opción **Animación** de la sección **Crear con plantilla**.
2. En la sección **Categoría** del cuadro de diálogo **Nuevo desde plantilla**, seleccionar el tipo de animación que se desea crear.
3. En la lista central, seleccionar la plantilla correspondiente a la animación deseada. En la sección **Vista previa**, se puede obtener una previsualización del contenido de cada plantilla.
4. Hacer clic sobre el botón **Aceptar**.

Capítulo 7

Sistemas de gestión de contenidos

1&1 Mi Web

En los últimos tiempos proliferan en la Web empresas que engloban en un solo paquete el alojamiento, creación y mantenimiento de un sitio Web. Con este tipo de servicios cualquiera puede disponer de un sitio Web para su negocio, totalmente personalizado y adaptado a sus necesidades. 1&1 Mi Web (`www.1and1.es/MiWeb`) es una de estas empresas:

- **Dominios:** permite registrar un dominio nuevo o gestiona el traslado de dominios ya existentes a 1&1.
- **Sitios Web para empresas o particulares:** permite crear sitios tanto para empresas, asociaciones y profesionales como para particulares.
- **Alojamiento:** alojamiento para nuestros sitios Web tanto en Linux como en Windows.
- **Correo electrónico:** servicio adicional de correo electrónico MailXChange o Microsoft Exchange.
- **Servidores:** contamos con servidores Cloud dinámicos, servidores dedicados, servidores virtuales y la posibilidad de desarrollar aplicaciones móviles para servidores.
- **Tiendas online:** ofrece también servicio de desarrollo de tiendas online.
- **Otras características:** diseños de páginas Web profesionales, con un mínimo esfuerzo para el usuario, totalmente personalizables, incluyendo más de 100 sectores profesionales; el proceso de creación es rápido y sencillo; sus sitios Web se encuentran fácilmente en los principales buscadores (posicionamiento) y ofrece además integración con redes sociales como Facebook, Twitter o Youtube.

En el momento de escribir este libro, 1&1 Mi Web ofrecía una prueba gratuita de sus servicios durante 30 días, con un precio mensual una vez transcurrido el período de prueba, incluyendo la gestión del dominio.

Arsys

Arsys (`http://www.arsys.es/`) es otra de las opciones más destacadas (en el momento de escribir este libro) para la creación y gestión asistida de sitios Web, tanto personales como para nuestros negocios.

Algunas de sus principales características son:

- **Dominios:** gestión y mantenimiento de dominios desde sólo 1,95 euros al año.
- **Correo electrónico:** correo con el nombre de dominio elegido, correo Exchange o una plataforma exclusiva para nuestro servicio de correo.

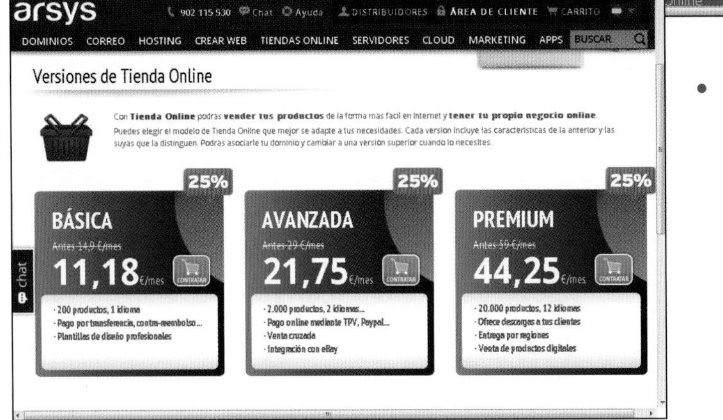

- **Alojamiento o *hosting*:** alojamiento Web de nuestro sitio y planes específicos de alojamiento para *resellers* (cuentas de alojamiento grandes que luego se subdividen en varias cuentas virtuales más pequeñas que se revenden a otros clientes).
- **Tiendas online:** servicios de tiendas online para ventas de productos y de reservas online, para ventas de servicios.
- **Servidores:** servidores alojados en la nube, servidores dedicados (ordenadores dedicados exclusivamente a un cliente) o servidores virtuales.
- **La Nube:** alojamiento de infraestructuras en la nube, *CloudPC* (virtualización de equipos informáticos en la Nube), almacenamiento en la Nube, etc.
- **Marketing:** *newsletter*, campañas, alta en buscadores, seguimiento y monitorización de la competencia, posicionamiento.
- **Aplicaciones:** disco duro online, programas para envíos masivos de SMS, copias de seguridad online, etc.

Crear una cuenta de Google

Un blog o bitácora es un sitio Web que se actualiza de manera periódica y que recopila publicaciones ordenadas de manera cronológica procedentes de uno o más usuarios. Una de las herramientas más populares para la creación y mantenimiento de blogs es Blogger, del gigante Google. Blogger es una aplicación gratuita y extremadamente fácil de utilizar. Para crear y gestionar *blogs* con Blogger, es necesario disponer de una cuenta de usuario de Google. Si ya dispone de una cuenta de correo electrónico de Gmail, ya dispone de una cuenta de usuario de Google. Si no, puede darse de alta fácilmente siguiendo estos pasos:

1. Abra su navegador favorito, escriba `http://www.google.es/` en la barra de direcciones y pulse la tecla **Intro**.
2. En la pantalla principal de Google, haga clic sobre el vínculo Gmail en el borde superior de la ventana.
3. Haga clic sobre el botón **Crear una cuenta** de la esquina superior derecha de la ventana.
4. Escriba toda la información de su nueva cuenta. Deberá escribir un número de teléfono móvil para evitar la suplantación de personalidad en su cuenta. Lea las condiciones del servicio y la política de privacidad de Google y haga clic sobre el botón **Siguiente paso**.
5. Para verificar la creación de la cuenta, Google enviará un mensaje de texto SMS o realizará una llamada de voz al número de teléfono que hayamos especificado. Elija la modalidad deseada y haga clic sobre **Continuar**.
6. Escriba el código de verificación recibido a través de su móvil y haga clic sobre **Continuar**. La cuenta quedará creada. Siga los pasos que se indican en pantalla para modificar si lo desea los datos de su perfil.

Para acceder en cualquier momento a su cuenta de Google o a su correo electrónico Gmail, vaya a la página principal de Gmail (desde la página principal de Google, haciendo clic sobre el vínculo Gmail). Allí, introduzca su nombre de usuario y su contraseña en los controles dispuestos para tal en la esquina superior derecha de la ventana y haga clic sobre el botón **Iniciar sesión**.

Cómo te verán
Google
Anaya Multimedia
Gracias a tu perfil público, tus amigos y familiares te reconocerán.
AÑADIR FOTO DE PERFIL
Paso siguiente

Blogger. Crear un nuevo blog

El primer paso para empezar a gestionar nuestro propio blog es crearlo. El acceso a Blogger puede parecer algo escondido, pero se puede realizar muy fácilmente desde la interfaz principal de Google:

1. Abra una ventana de su navegador y vaya a la dirección `http://www.google.es`.
2. En la lista de vínculos del borde superior de la ventana, haga clic sobre el último, el vínculo Más. Se abrirá un menú desplegable.

3. Haga clic sobre la opción Blogger en el menú.
4. Es posible que Blogger le pida que inicie una sesión en Google con su cuenta. Introduzca los datos correspondientes y haga clic sobre el botón **Iniciar sesión**.
5. La siguiente pantalla, le ofrecerá la posibilidad de confirmar su perfil y realizar modificaciones en él. Haga los cambios que considere necesarios y, cuando haya terminado, haga clic sobre el botón **Continuar en Blogger**, en la esquina inferior izquierda de la ventana.
6. Aparecerá la pantalla principal de Blogger. Esta pantalla nos permite iniciar la creación de nuevos blogs, así como añadir los blogs de otras personas a nuestra lista de lectura. Para iniciar la creación de un blog, haga clic sobre el botón **Nuevo blog** en la esquina superior derecha de la pantalla.

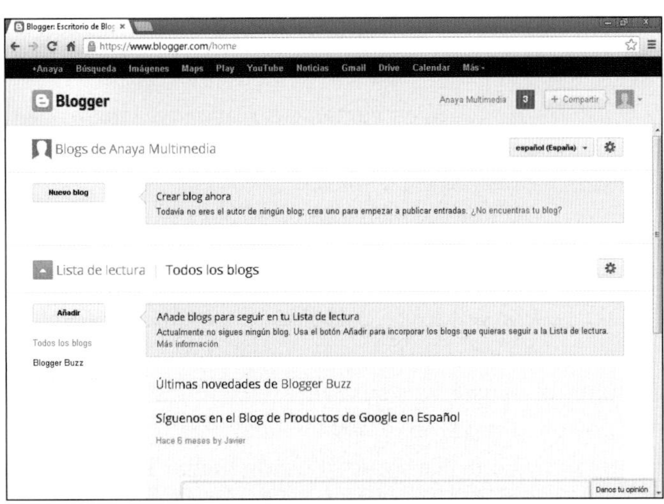

7. A continuación, deberá asignar un nombre a su blog. Escriba un título en el cuadro de texto superior (un nombre para el blog en forma de texto) y la dirección en el otro cuadro de texto (intente que sea un nombre fácil de recordar). Si la dirección elegida se encuentra disponible, Blogger nos lo indicará mediante un mensaje junto al cuadro de texto.

8. En la lista central de la ventana, seleccione la plantilla que mejor se ajuste a las características de su blog, simplemente haciendo clic sobre su imagen.

9. Haga clic sobre el botón **Crear blog**. Después de unos segundos, el blog se habrá creado y regresaremos a la pantalla principal de Blogger, un mensaje junto al nombre del blog indica su reciente creación. Ya sólo queda empezar a publicar. Puede hacerlo directamente mediante el vínculo que se muestra e pantalla.

Para acceder a su blog en cualquier momento, escriba la barra de direcciones de su navegador favorito la dirección que eligió en el paso 7 del proceso, en la forma *`dirección_elegida`*`.blogspot.com`.

Publicar entradas en Blogger

Si acaba de crear un nuevo blog, la pantalla principal de Blogger le permitirá crear directamente su primera entrada haciendo clic sobre el vínculo **Empezar a publicar**. Si ya ha creado alguna entrada, podrá iniciar una nueva publicación haciendo clic sobre el botón **Crear entrada nueva** situado junto al nombre de su blog. También podrá acceder rápidamente a la página principal de su blog haciendo clic sobre el botón **Ver blog**. Cuando inicie la creación de una nueva entrada de su blog, la pantalla de su navegador se convertirá en una especie de editor de texto con las características principales que se puede emplear en la creación de publicaciones en Blogger. Entre otros, encontrará los siguientes elementos:

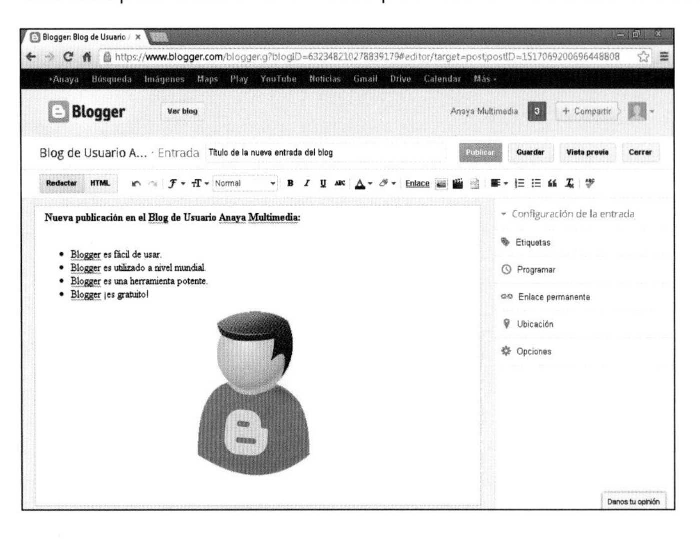

- El cuadro de texto Título, a la derecha del epígrafe "Entrada", permite definir un título para la entrada.
- Debajo, un área de edición permite introducir el contenido propiamente dicho de la entrada. Existen dos modos de edición: Redactar (para introducir directamente texto, imágenes, vídeos, etc. y dar formato a la entrada) y HTML (para editar el código HTML de la publicación). En el borde superior del área de edición, hay una barra de herramientas que permite realizar todas las operaciones disponibles para la edición y formato de la entrada: seleccionar el tipo, tamaño y estilo de fuente, cambiar el color del texto y del fondo, introducir enlaces, imágenes y vídeos, etc. Debajo, el área central en blanco del control funciona como un tratamiento de textos para introducir el texto que deseemos para nuestra entrada.
- En el lateral derecho, se encuentra la sección Configuración de la entrada. Nos permite configurar varias opciones relativas a la publicación, tales como marcar la publicación con etiquetas que describan su contenido para que otros usuarios puedan localizar fácilmente nuestro blog, programar la publicación, crear un enlace permanente, establecer una ubicación, etc.
- En la esquina superior derecha de la ventana, cuatro botones permiten controlar la publicación de la entrada: **Publicar entrada** (envía directamente la entrada al blog), **Guardar** (guarda un "borrador" de la entrada para evitar pérdidas de información accidentales o para continuar la edición de nuestra publicación más adelante), **Vista previa** (que muestra la entrada tal como aparecerá publicada en el blog antes de publicarla directamente) y **Cerrar** (para cerrar la ventana actual y cancelar el trabajo realizado en ella hasta el momento).

Configuración de Blogger

Puede realizar diversas labores de configuración en su blog desde la pantalla principal de Blogger. Junto al nombre del blog, a la derecha del botón **Crear entrada nueva**, se encuentra el botón **Más opciones** . Haga clic sobre el icono en forma de punta de flecha para desplegar un menú con las siguientes opciones:

- **Visión general**: muestra información general del blog, estadísticas de páginas vistas, actualizaciones, comentarios, entradas, seguidores, etc.
- **Entradas**: muestra las entradas publicadas en el blog y permite editarlas o eliminarlas.
- **Páginas**: muestra las páginas asociadas al blog y permite crear nuevas páginas en blanco o vincular páginas externas al blog para enviar a los lectores a otras direcciones Web.
- **Comentarios**: permite gestionar los comentarios que se han recibido en el blog, eliminar comentarios o determinado contenido en particular, marcar comentarios como *spam*, etc.
- **Google+**: permite gestionar la asociación del blog con nuestra cuenta en la red social de Google+. Configura la relación entre ambas herramientas, tales como preguntar si se desean compartir en Google+ las nuevas entradas después de su publicación, si se desean utilizar comentarios de Google+ en el blog, etc.
- **Estadísticas**: muestra estadísticas del tráfico de nuestro blog, organizadas por día, semana, mes o cualquier momento específico.
- **Ingresos**: permite comercializar nuestro blog a través de los programas Google AdSense o Google Affiliate Ads y obtener beneficios de nuestro trabajo.
- **Diseño**: permite editar los distintos componentes que conforman la ventana principal de nuestro blog: la barra de navegación, el título, la sección dedicada a las entradas del blog, etc. También Podemos añadir diferentes gadget, tales como herramientas relacionadas con Google+, un acceso directo al traductor de Google, un cuadro de búsqueda, encuestas, listas de blogs, etc.
- **Plantilla**: permite cambiar la plantilla principal de nuestro blog, personalizarla, elegir plantillas para plataformas móviles, etc.
- **Configuración**: para cambiar otras opciones básicas del blog, tales como el título, su descripción, la dirección del blog, los autores del mismo, etc.

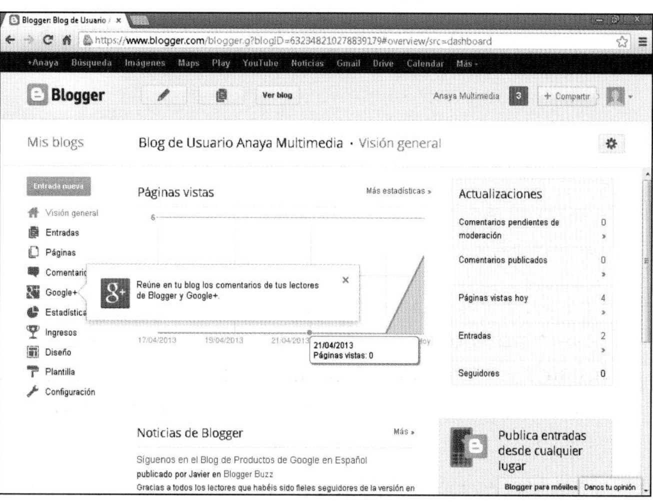

Joomla

Joomla es un sistema de gestión de contenidos orientado a la creación de portales Web. El portal de Joomla en español se encuentra disponible en la dirección `http://www.joomlaspanish.org/`. Desde allí, podrá descargarla última versión de la herramienta (actualmente, la versión 3.0.3) y obtener todo tipo de información y las últimas noticias sobre ella. Para instalar esta versión de Joomla en su sistema:

1. Instale como requisito previo la versión 5.3.1 de PHP. Descargue su versión de Joomla, descomprímala y cópiela en su servidor Web.
2. Asegúrese de disponer de una base de datos MySQL con un usuario asignado a ella que disponga de todos los privilegios necesarios. Es imprescindible disponer del nombre del *host* donde se almacena la base de datos, del propio nombre de la base de datos, del nombre de usuario y de su contraseña.
3. Abra su navegador favorito y escriba la dirección donde se encuentra ubicada su versión de Joomla. Por ejemplo, `http://localhost/joomla`. Empezará automáticamente la instalación del paquete.
4. La primera ventana del proceso de instalación de Joomla comprende los parámetros de configuración principal de la herramienta. En primer lugar, seleccione el idioma de la instalación en la lista desplegable del borde superior de la pantalla. Rellene al menos los campos obligatorios de la ventana (los marcados con un asterisco: nombre del sitio, correo electrónico del administrador, nombre de usuario y contraseña del administrador) y haga clic sobre el botón **Siguiente** situado en la esquina superior derecha.

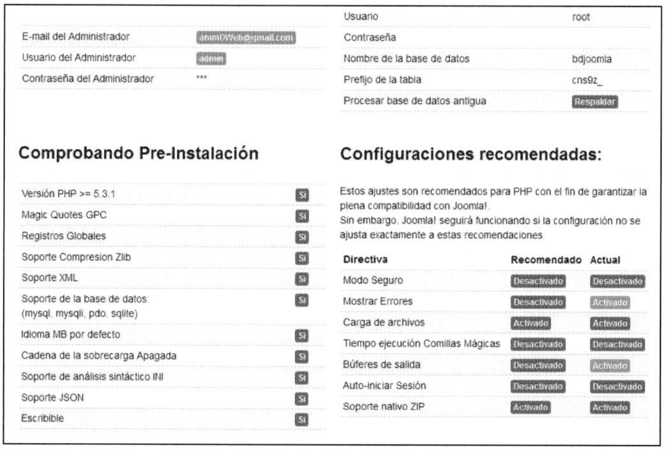

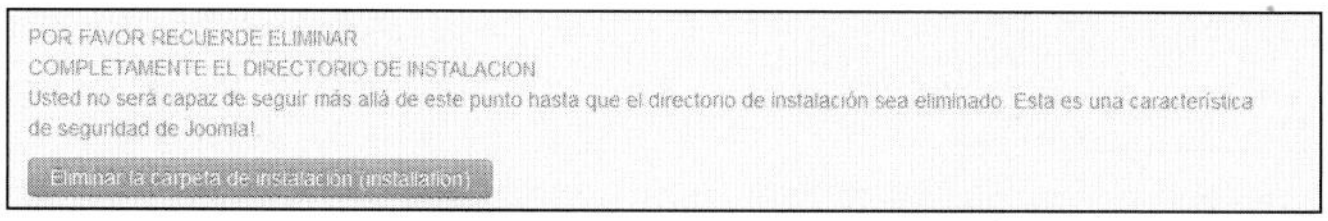

E-mail del Administrador	ammDWeb@gmail.com
Usuario del Administrador	admin
Contraseña del Administrador	***

Usuario	root
Contraseña	
Nombre de la base de datos	bdjoomla
Prefijo de la tabla	cns9z_
Procesar base de datos antigua	Respaldar

Comprobando Pre-Instalación

Versión PHP >= 5.3.1	Si
Magic Quotes GPC	Si
Registros Globales	Si
Soporte Compresion Zlib	Si
Soporte XML	Si
Soporte de la base de datos: (mysql, mysqli, pdo, sqlite)	Si
Idioma MB por defecto	Si
Cadena de la sobrecarga Apagada	Si
Soporte de análisis sintáctico INI	Si
Soporte JSON	Si
Escribible	Si

Configuraciones recomendadas:

Estos ajustes son recomendados para PHP con el fin de garantizar la plena compatibilidad con Joomla!.
Sin embargo, Joomla! seguirá funcionando si la configuración no se ajusta exactamente a estas recomendaciones.

Directiva	Recomendado	Actual
Modo Seguro	Desactivado	Desactivado
Mostrar Errores	Desactivado	Activado
Carga de archivos	Activado	Activado
Tiempo ejecución Comillas Mágicas	Desactivado	Desactivado
Búferes de salida	Desactivado	Activado
Auto-iniciar Sesión	Desactivado	Desactivado
Soporte nativo ZIP	Activado	Activado

POR FAVOR RECUERDE ELIMINAR
COMPLETAMENTE EL DIRECTORIO DE INSTALACION
Usted no será capaz de seguir más allá de este punto hasta que el directorio de instalación sea eliminado. Esta es una característica de seguridad de Joomla!.

Eliminar la carpeta de instalación (installation)

5. En el siguiente paso, deberá establecer toda la información correspondiente a la base de datos que configuró en el paso 2 de este proceso. Recuerde que es necesario disponer de una base de datos con todos los privilegios. Seleccione el tipo de base de datos y rellene al menos los campos obligatorios (marcados con un asterisco: nombre de *host*, usuario, nombre de la base de datos, prefijo de la tabla, etc.) y haga clic sobre el botón **Siguiente**.

6. En el tercer y último paso de la preparación para la instalación de Joomla, podrá especificar si desea o no instalar datos de ejemplo en su copia de la herramienta. Para instalar los datos de ejemplo en español, seleccione la opción Datos de ejemplo predeterminados en Español (ES). Antes de continuar, eche un vistazo a la información general previa a la instalación del programa. Compruebe que los datos de administración y de la base de datos sean correctos y, sobre todo, compruebe que se cumplen todas las condiciones previas a la instalación en la sección Comprobando Pre-Instalación. Cuando haya terminado, haga clic sobre el botón **Instalar** (en la esquina superior derecha de la página) para dar comienzo a la instalación.

El proceso de instalación puede durar unos minutos. Cuando se haya completado, aparecerá una pantalla con el mensaje "¡Felicidades! el pack de Joomla! Spanish ya está instalado. Como característica de seguridad, deberá eliminar el directorio de instalación antes de poder continuar. Haga clic sobre el botón de color naranja **Eliminar la carpeta de instalación (installation)**. Cuando lo haya hecho, el botón se desactivará y cambiará su nombre a "Carpeta de instalación eliminada correctamente".

Anaya Multimedia
Inicio
Inicio
Menú Principal
Inicio
Formulario de acceso
Usuario
Contraseña
Recordarme
Iniciar sesión
Crear una cuenta
¿Olvidó su usuario?
¿Olvidó su contraseña?
© Anaya Multimedia 2013
Ir arriba

Ahora ya puede empezar a utilizar Joomla. Dos botones pondrán al alcance de su mano las dos principales funciones una vez finalizada la instalación:

- **Sitio:** permite ir al sitio Joomla! recién instalado.
- **Administrador:** permite realizar a cabo las tareas de administración necesarias en Joomla!

Configuración de Joomla

Para acceder a la página de administración de Joomla!, escriba la dirección de la instalación de la herramienta seguida del nombre de carpeta `administrator`, como por ejemplo: `localhost/joomla/administrator/`. Escriba sus credenciales de administrador de Joomla! y haga clic sobre el botón **Acceder**.

1. En el lateral izquierdo de pantalla, bajo el epígrafe "SISTEMA", haga clic sobre la opción Configuración Global. Se abre una pantalla con las principales opciones de configuración de la plataforma, a las que podremos acceder haciendo clic sobre las distintas pestañas del borde superior de la pantalla. Estas son:

   - Sitio: opciones de gestión globales del sitio Joomla: nombre del sitio, activación o desactivación del mismo, configuración SEO (para motores de búsqueda), configuración de *cookies*, configuración de metadatos, etc.
   - Sistema: configuraciones del sistema, ruta de la carpeta de registros, servidor de ayuda, depuración de errores, configuración de la caché, configuración de la sesión, etc.
   - Servidor: datos referentes a la configuración del servidor donde se encuentra alojado Joomla: configuración del servidor, configuración de la base de datos, configuración de la localización, configuración de correo electrónico, configuración FTP, etc.
   - Permisos: sirve para gestionar la configuración de permisos para dos distintos grupos de usuarios disponibles en Joomla!: público, invitado, gestor, administrador, autor, editor, publicador, etc. en la lista de grupos de usuarios haga clic sobre aquél que desee modificar. Para cada una de las acciones disponibles, seleccione el tipo de autorización que desea asignar, heredada del grupo de usuarios de nivel superior, permitido o denegado.
   - Filtros de textos: permite establecer filtros para distintos grupos de usuarios en relación a los campos del editor de textos disponible para cada uno de estos grupos. Estos filtros incluyen la imposibilidad de acceder al código HTML y la confección de listas negras y listas blancas.

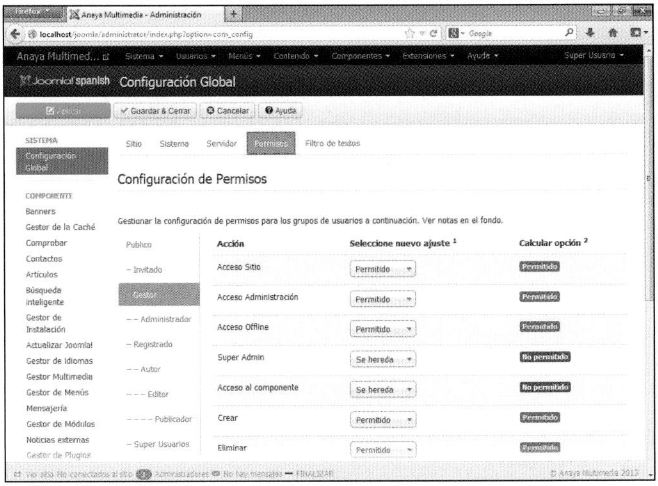

2. Cuando haya completado su configuración, haga clic sobre el botón **Guardar & Cerrar** en el borde superior de la ventana.

Crear artículos

1. Vaya al panel de administración de su sitio Joomla (por ejemplo `localhost/joomla/administrator`). Abra el menú **Contenido** situado en el borde superior de la pantalla y despliegue el submenú **Gestor de artículos**.
2. Ejecute la opción **Añadir nuevo Artículo**.
3. En el borde superior de la ventana **Artículo**, introduzca un título para el nuevo artículo (**Título**) y especifique la categoría a la que pertenece la nueva entrada mediante la lista desplegable contigua.
4. En la sección principal de la página, escriba el contenido del artículo. Una completa barra de herramientas, le permitirá controlar el formato del contenido de su artículo así como introducir en él diferentes elementos HTML tales como hipervínculos y anclas, imágenes o editar directamente el código HTML de la página en un editor independiente.
5. En el lateral derecho de la ventana del gestor de artículos, podemos controlar los detalles específicos de la publicación mediante cuatro listas desplegables:
    - **Estatus**: indica si el mensaje aparecerá como publicado, despublicado, archivado o si se desea eliminar el artículo seleccionado.
    - **Acceso**: especifica el grupo de usuarios que puede acceder al artículo: público, invitado, registrado, especial.
    - **Destacados**: indica si el artículo aparecerá o no en la sección de artículos destacados.
    - **Idioma**: especifica el idioma asociado al artículo que se desea publicar.
6. Una vez completado el artículo, haga clic sobre el botón **Guardar & Cerrar** para guardar el artículo y regresar a la pantalla de administración de Joomla! o sobre **Guardar & Nuevo** para guardar el artículo y proceder a la creación de un artículo nuevo.

Gestor de artículos

Acceda a la página de administración de Joomla! (por ejemplo localhost/joomla/administrator/). En el lateral derecho de la ventana, en el panel ICONOS RÁPIDOS, haga clic sobre la opción Gestor de artículos:

- Para comprobar el estado de un artículo, active su casilla de verificación (en el lateral izquierdo de la lista) y haga clic sobre el botón **Comprobar** en el borde superior de la ventana. Una marca de verificación verde en la columna Estatus indica que el artículo se ha procesado correctamente.

- Para eliminar cualquiera de los artículos de la lista, seleccione su casilla de verificación y haga clic sobre el botón **Papelera**.

- Si desea que un artículo ya no esté disponible para su publicación pero no desea eliminarlo definitivamente, sitúe el puntero del ratón a la derecha de su título. Aparecerá un botón con forma de punta de flecha. Haga clic sobre dicho botón para desplegar su menú y elija la opción Archivo para archivar el artículo. Para recuperar un artículo archivado, seleccione la opción Archivado en la primera lista desplegable disponible en el lateral izquierdo de la pantalla bajo el epígrafe Filtro: Aparecerá una lista con todos los artículos archivados. Active la casilla de verificación del artículo que desea recuperar y haga clic sobre el botón **Publicar**.

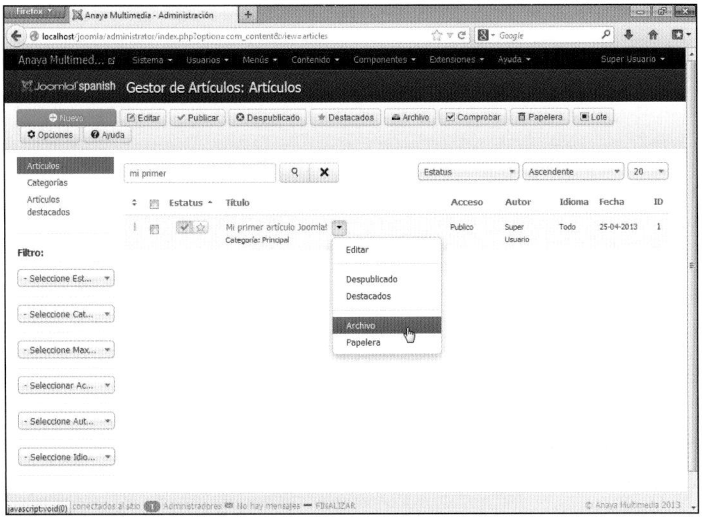

- Para modificar el contenido de cualquier artículo, active su casilla de verificación y haga clic sobre el botón **Editar**. Haga los cambios deseados en el artículo y pulse el botón **Aplicar** para almacenar los cambios. Una vez que haya finalizado, haga clic sobre el botón **Cerrar**.

- Otras opciones disponibles en la ventana del gestor de artículos de Joomla! son: crear un artículo nuevo haciendo clic sobre el botón del mismo nombre, despublicar un artículo mediante el botón **Despublicado** del borde superior de la pantalla; marcar un artículo como destacado mediante el botón **Destacados**, procesar varios artículos al mismo tiempo mediante las opciones que ofrece el botón **Lote** y cambiar las preferencias y configuraciones globales de la edición de artículos haciendo clic sobre el botón **Opciones**.

Gestión de plantillas en Joomla

Existen numerosos sitios en Internet que ofrecen plantillas gratuitas para Joomla. Para instalar una de estas plantillas para su sitio Web, asegúrese de que es compatible con la versión de su copia de Joomla y descárguela de Internet. A continuación, siga estos pasos para instalarla:

1. Vaya a la ventana de administración de su sitio Joomla. Abra el menú Extensiones y haga clic sobre la opción Gestor de Extensiones.
2. Dependiendo de la ubicación de su paquete de instalación, active las pestañas Subir Archivo de Paquete, Instalar desde Directorio o Instalar desde URL de la herramienta. Escriba la ubicación de su paquete como corresponda o haga clic sobre el botón **Examinar** para localizar un archivo de paquete en su equipo y haga clic sobre los botones **Subir e Instalar** o **Instalación**. Su plantilla debería quedar lista para su utilización.

Desde el Gestor de plantillas, podrá administrar y editar sus plantillas. En el menú Extensiones haga clic sobre la opción Gestor de plantillas.

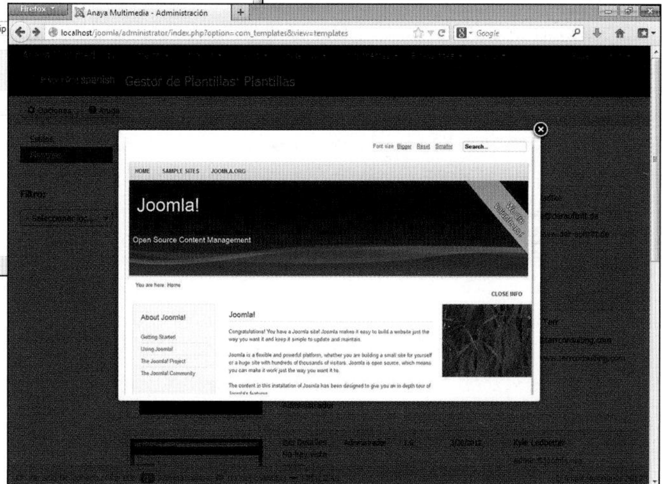

En la esquina superior izquierda de la pantalla, haga clic sobre la opción Plantillas para mostrar las plantillas instaladas en lugar de los estilos de Joomla.

- Para mostrar el aspecto de una plantilla, haga clic sobre su imagen en la lista de plantillas.
- Para editar una plantilla, haga clic sobre su nombre en la columna Plantilla. Haga clic sobre la opción del tipo de edición que desee realizar: editar la página principal de la plantilla, editar la página de error, editar la vista de impresión, editar las hojas de estilo de la plantilla, etc. Haga clic sobre **Aplicar** para aplicar los cambios realizados hasta el momento y continuar con la edición. Haga clic sobre **Guardar & Cerrar** para almacenar los cambios realizados en la plantilla y regresar a la pantalla de administración. Si desea cancelar los cambios realizados hasta el momento en la plantilla y no guardados, haga clic sobre el botón **Cancelar**.

phpBB

phpBB es una buena solución de código abierto para la creación de foros. En la dirección Web `http://www.phpbb-es.com/`, se encuentra phpBB-Es, el sitio oficial de habla hispana para phpBB. En la actualidad, se puede descargar de dicho sitio la versión 3.0.11 del paquete completo de instalación en español.

Siga estos pasos para instalar phpBB3:

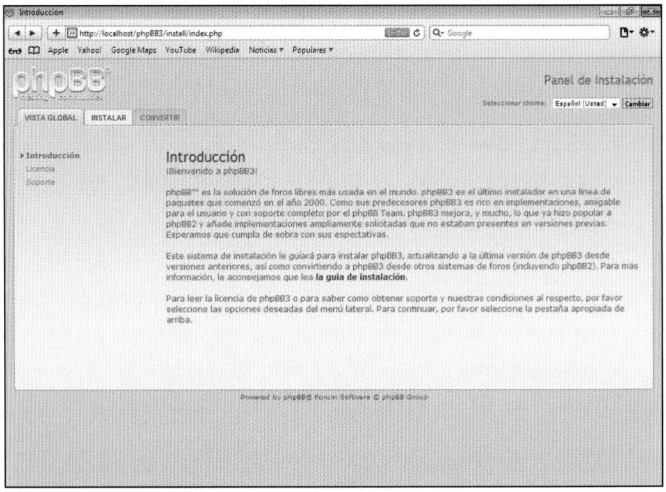

1. Descomprima el paquete de instalación en su ordenador y cópielo a su sitio Web.
2. Asegúrese de cambiar los permisos CHMOD del archivo `config.php` a `rw-rw-rw`. Cambie también a `rwxrwxrwx` los permisos CHMOD de las carpetas `/store/`, `/cache/`, `/files/` e `/images/avatars/upload/`. Asegúrese también de crear una base de datos para phpBB y de anotar sus parámetros de conexión.
3. Abra su navegador y escriba la dirección donde se encuentra ubicada su versión de phpBB. Por ejemplo, `localhost/phpBB3/`. Se abrirá la pantalla de presentación de phpBB3, con la ficha Vista Global seleccionada. En esta ficha, puede acceder a información global sobre el programa (opción Introducción), leer los términos de la licencia del producto (Licencia) y acceder a diferentes herramientas de soporte y documentación online (opción Soporte).
4. Haga clic sobre la ficha Instalar. El primer paso es meramente informativo. Simplemente haga clic sobre el botón **Proceder al siguiente paso** que se encuentra ubicado en el borde inferior de la pantalla.

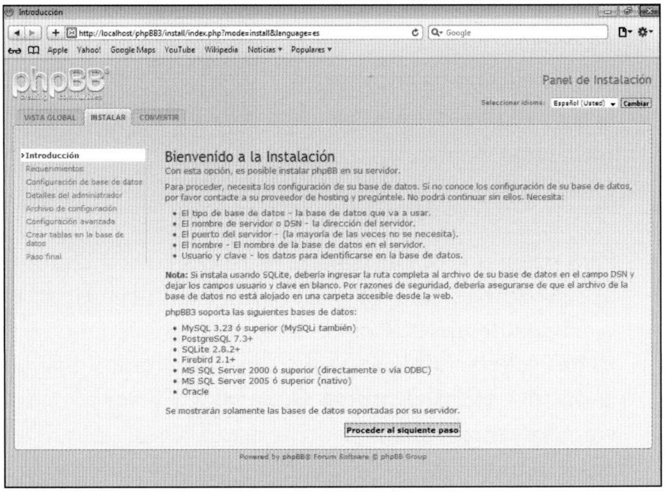

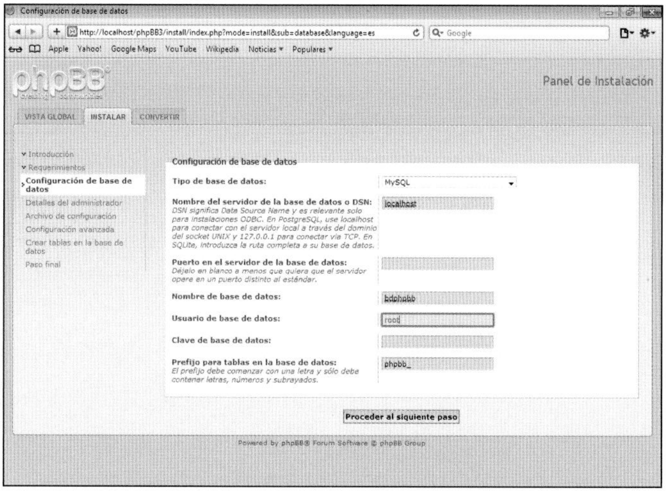

5. La siguiente pantalla es una comprobación de los requisitos necesarios para la instalación de phpBB3. Si esta pantalla mostrara algún conflicto o error en su sistema, debería solucionarlo antes de continuar. En caso contrario, haga clic sobre el botón **Comenzar instalación** situado al final de la página.

6. Introduzca los datos de configuración de la base de datos que utilizará phpBB3: el nombre del servidor de la base de datos, el puerto (si procede), el nombre de la base de datos, el nombre del usuario y su contraseña. Cuando haya terminado, haga clic sobre el botón **Proceder al siguiente paso**. Si la prueba de conexión se establece con éxito, aparecerá en pantalla el mensaje "Identificado con éxito". Haga clic sobre el botón **Proceder al siguiente paso**.

7. Escriba los datos del usuario administrador de phpBB3: el nombre del administrador, su contraseña, y el correo electrónico de contacto (estos dos últimos parámetros deberá escribirlos por duplicado por seguridad). Cuando haya terminado, haga clic sobre el botón **Proceder al siguiente paso**. Si la configuración es correcta, aparecerá en pantalla el mensaje "Pruebas superadas". Haga clic sobre el botón **Proceder al siguiente paso**.

8. Se creará el archivo de configuración. Haga clic sobre **Proceder al siguiente paso**. Aparecerá la pantalla de configuración avanzada. Dado que todos los parámetros de esta sección se pueden editar con posterioridad, simplemente haga clic sobre el botón **Proceder al siguiente paso**. De esta manera, se crearán las tablas necesarias en la base de datos. Nuevamente, haga clic sobre **Proceder al siguiente paso**.

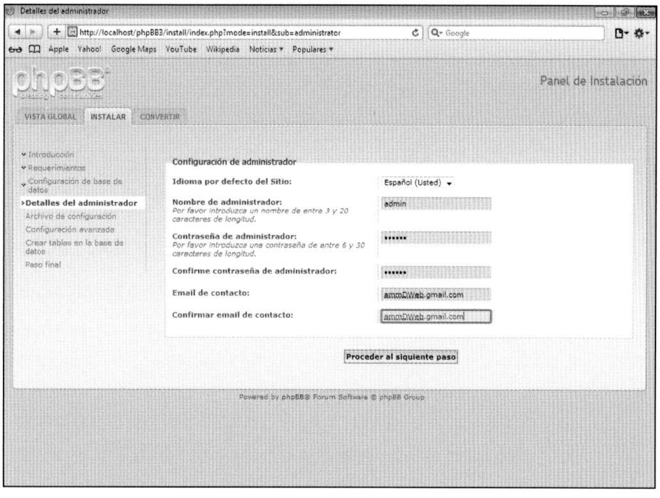

9. Antes de dar por finalizada la instalación y empezar a trabajar con la herramienta, elimine las carpetas `install` y `docs`. Como medida de seguridad adicional, cambie los permisos CHMOD del archivo `config.php` esta vez a 664 (sólo lectura) y haga clic sobre el botón **Identificarse** para acceder al panel de administración de phpBB3.

Administrar phpBB

1. Abra en su navegador favorito phpBB. Si es necesario, escriba su nombre de usuario y su contraseña en los cuadros de texto de la sección **Identificarse - Registrarse** y haga clic sobre el botón **Identificarse**. (Si lo desea, active la casilla de verificación **Identificarse automáticamente en cada visita** para no tener que introducir toda la información cada vez que acceda a la herramienta.)

2. En la pantalla de entrada del foro, busque el enlace **Ir al Panel de Administración (ACP)** en el extremo inferior de la página y haga clic sobre él.

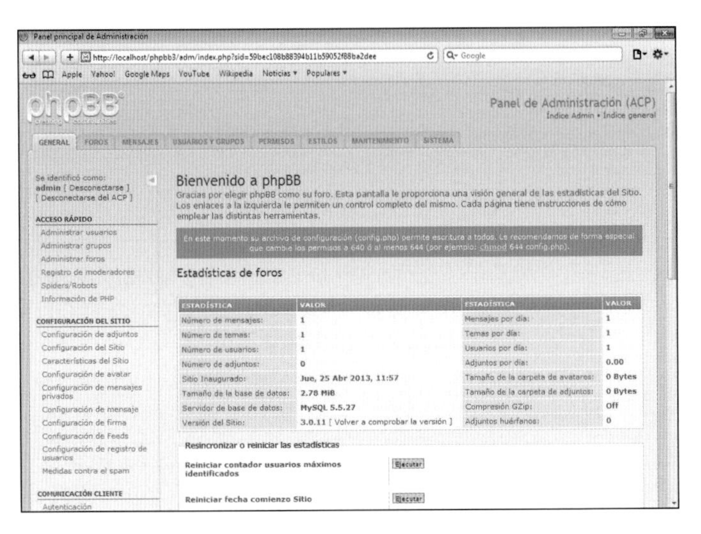

3. Nuevamente, deberá introducir la contraseña de su cuenta de usuario. Escríbala en el cuadro de texto **Contraseña** y haga clic sobre el botón **Identificarse**. El programa le redirigirá automáticamente a la página principal de administración, donde encontrará las siguientes categorías de configuración:

- Ficha **General**: incluye un acceso rápido a las opciones de administración y configuración más importantes del sitio, además de mostrar estadísticas de uso de los sitios y un resumen de movimientos de los administradores del sitio.
- **Foros**: permite administrar, editar, configurar, crear y moderar foros, administrar permisos, etc.
- **Mensajes**: configuración de mensajes, iconos, emoticonos, palabras censuradas y administración de adjuntos.
- **Usuarios y grupos**: administración de usuarios y gestión de grupos de usuarios.
- **Permisos**: gestión de permisos globales, basados en foros, por roles, etc.
- **Estilos**: permite cambiar el aspecto del foro, administrar estilos, editar y cambiar plantillas y temas, etc.
- **Mantenimiento**: lleva un seguimiento de las acciones realizadas por los administradores del foro.
- **Sistema**: opciones de verificación del foro, gestión de *spiders* y robots, envío de correo electrónico masivo a los usuarios del foro, administración de informes, etc.

Crear un foro nuevo en phpBB

En phpBB no hay categorías dentro de los foros. El funcionamiento de la herramienta se basa completamente en foros que, a su vez pueden tener sub-foros de una manera ilimitada. Para crear un nuevo foro en phpBB:

1. Vaya a la pantalla principal de administración de phpBB (después de identificarse en phpBB, hacer clic sobre el enlace Ir al Panel de Administración (ACP) e introducir nuevamente la contraseña de administración).
2. Haga clic sobre la ficha Foros y asegúrese de que se encuentra seleccionada la opción Administrar foros de la sección del mismo nombre.
3. En el cuadro de texto situado en la esquina inferior derecha del área principal de trabajo de la ficha, escriba el nombre del nuevo foro y haga clic sobre el botón **Crear Foro nuevo**.
4. Especifique las opciones de configuración del foro. Una vez que haya terminado, haga clic sobre el botón **Enviar** (después de crear el foro, podrá editar los permisos del mismo). Los parámetros más importantes son:
   - Tipo de Foro: especificar si se trata de una nueva categoría, foro o enlace.
   - Foro Padre: define si el foro que se está creando depende de otro foro.
   - Nombre del foro y Descripción: permite modificar el nombre del foro y añadir una descripción breve.
   - Imagen del foro: permite asociar una imagen al foro.
   - Estilo del foro: permite seleccionar entre los estilos disponibles el formato deseado para el nuevo foro.
   - Configuración general: define aspectos tales como si se deben mostrar o no los subforos en la leyenda, si se deben mostrar o no los temas activos, etc.
   - Preferencias de purga de Foros: establece la frecuencia de purgas y la vigencia y caducidad de los temas inactivos.
   - Reglas del Foro: establece un enlace a las reglas de utilización del foro y un texto que describa brevemente las principales reglas.

MediaWiki

Los *wikis* son sitios Web ideados para que multitud de usuarios puedan editar el contenido de sus páginas Web. Algunos ejemplos destacados de este tipo de sitios son Wikipedia o WikiLeaks. Existen numerosas aplicaciones disponibles para la creación de *wikis*. Uno de los más sencillos y potentes es MediaWiki. Puede descargar la herramienta y obtener información y soporte (en parte en inglés) en la Web `http://www.mediawiki.org/wiki/MediaWiki/es`.

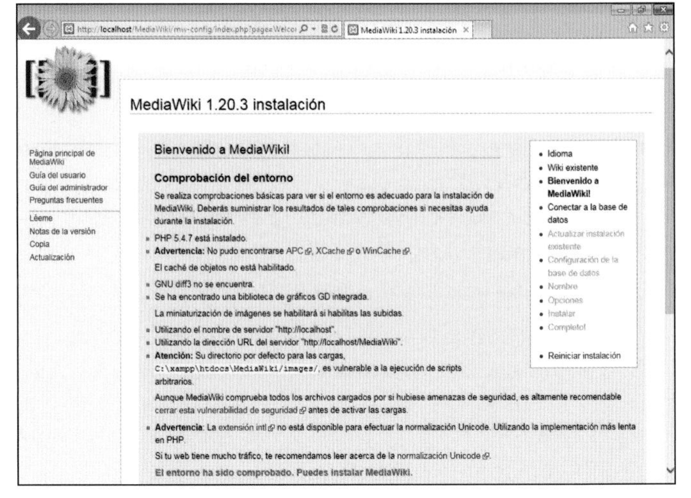

Para instalar MediaWiki:

1. Descargue la aplicación, descomprímala y cópiela en su servidor Web.
2. Asegúrese de crear una base de datos para MediaWiki y de anotar sus parámetros de conexión. Tenga en cuenta también que la última versión de MediaWiki requiere PHP 5.1 o posterior.
3. Abra su navegador favorito y escriba la dirección donde se encuentra ubicada su versión de MediaWiki. Por ejemplo, `localhost/mediawiki`. Haga clic sobre el enlace Setup the wiki que aparece en pantalla.
4. Seleccione el idioma español en las listas Your language y Wiki lenguaje y haga clic sobre el botón **Continue**. El proceso de instalación propiamente dicho, dará comienzo en el idioma seleccionado. La primera pantalla del asistente, le indicará si las condiciones de su entorno son las apropiadas para instalar la herramienta. En caso afirmativo, aparecerá el mensaje "El entorno ha sido comprobado. Puedes instalar MediaWiki" en la sección "Comprobación del entorno". Esta pantalla también muestra los términos de derechos de autor y licencia de uso de la aplicación. Haga clic sobre el botón **Continuar**.

5. Seleccione los datos de configuración de la base de datos que desea asignar a MediaWiki. Seleccione el tipo de base de datos (MySQL o SQLite), la localización del servidor de la base de datos, escriba el nombre de la base de datos el nombre y la contraseña de un usuario con acceso a dicha base de datos. Cuando haya terminado, haga clic sobre el botón **Continuar**.

6. A continuación, deberá especificar algunas opciones adicionales de configuración de la base de datos. En primer lugar, seleccione si desea utilizar la misma cuenta que en la instalación para la cuenta de base de datos para acceso Web, activando la casilla de verificación correspondiente. Finalmente, seleccione el tipo de motor de almacenamiento que desea emplear: InnoDB o MyISAM y el conjunto de caracteres para la base de datos: binario o UTF-8. Cuando haya finalizado, haga clic sobre el botón **Continuar**.

7. Para crear un nuevo wiki en este paso de la instalación, escriba su nombre, el espacio de nombres del proyecto y los datos de la cuenta de administrador (nombre, contraseña y dirección de correo electrónico). Llegados a este punto, podrá elegir si desea instalar directamente MediaWiki con el resto de las opciones por defecto o si prefiere ir configurando todos los parámetros disponibles hasta el final de la instalación. En el borde inferior de la página dos botones de opción controlan la manera de proceder del programa de instalación: **Hazme más preguntas** (el asistente de instalación le seguirá solicitando que configure MediaWiki) o **Ya estoy aburrido, sólo instala el wiki** (para proceder directamente a la instalación de Media Wiki con las restantes opciones por defecto).

8. En el caso que decida seguir configurando Media Wiki, tendrá que configurar entre otras las siguientes opciones:

   - Perfil de derechos de usuario y copyright y licencia del wiki.
   - Extensiones a instalar.
   - Habilitar o deshabilitar la subida de imágenes y archivos.
   - La configuración de la caché de objetos.

9. Cuando haya terminado, un último botón **Continuar** le permitirá iniciar el proceso de instalación con las opciones de configuración que haya establecido.

10. Un resumen le indicará las operaciones realizadas durante la instalación. Haga clic sobre el botón **Continuar**. El programa comenzará automáticamente la descarga del archivo de configuración de MediaWiki. Guarde dicho archivo en el servidor Web, en la raíz de la instalación, para el correcto funcionamiento de la herramienta.

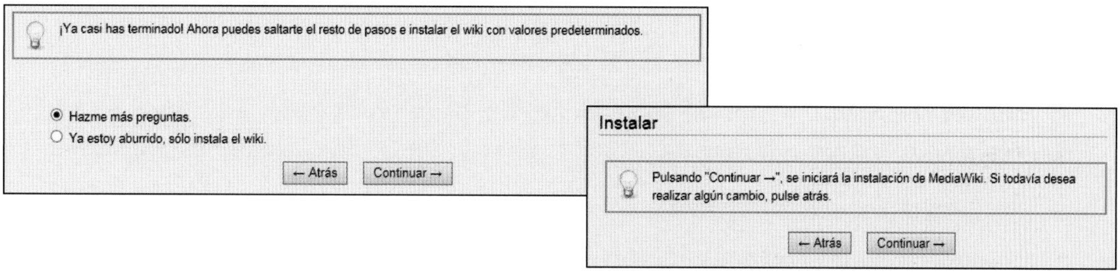

Crear una cuenta en MediaWiki

1. Para crear una nueva cuenta de usuario en MediaWiki, vaya en primer lugar a la página de portada de su wiki (por ejemplo, `localhost/mediawiki`). En la esquina superior derecha de la ventana, haga clic sobre el vínculo Crear una cuenta.
2. En la ventana Iniciar sesión / crear cuenta, especifique todos los datos de la cuenta: nombre de usuario, contraseña (en los campos Tu contraseña y Repite tu contraseña), una dirección de correo electrónico y el nombre real. Una vez completada toda esta información, haga clic sobre el botón **Crear una cuenta**.

La próxima vez que acceda a la portada de su wiki, haga clic sobre el vínculo Iniciar sesión de la esquina superior derecha de la página, introduzca su nombre de usuario y su contraseña y haga clic sobre el botón **Iniciar sesión** para iniciar una sesión de trabajo con el programa. Para cambiar las preferencias de su cuenta de usuario:

1. Haga clic sobre el vínculo Preferencias, en el borde superior de la pantalla del wiki una vez iniciado una sesión con una cuenta de usuario y una contraseña. Encontrará los siguientes campos de configuración:
   - Perfil de usuario: nombre de usuario, direcciones de correo, contraseñas, etc.
   - Apariencia: permite establecer distintos formatos de visualización para el wiki.
   - Fecha y hora: formatos de fecha y hora.
   - Edición: modalidades de edición de los artículos del wiki.
   - Cambios recientes: modos de seguimiento de los cambios de un artículo.
   - Seguimiento: opciones de seguimiento de los cambios realizados en el wiki
   - Búsquedas: especificaciones de las búsquedas en el wiki.
   - Miscelanea: varias opciones adicionales.

Crear y editar artículos en MediaWiki

Para crear un nuevo artículo en MediaWiki simplemente escriba en la barra de direcciones del navegador `http://`*`servidor`*`/`*`nombrewiki`*`/index.php/`*`nombreartículo`*, por ejemplo, `http://localhost/mediawiki/index.php/Nuevoarticulo`. Aparecerá una pantalla indicando que para ese artículo no existe todavía ningún texto.

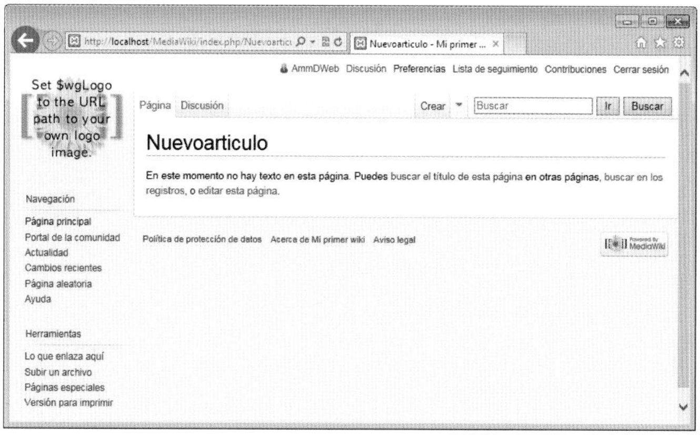

Para empezar a introducir texto en el artículo:

1. Haga clic en la etiqueta **editar esta página**.
2. En el área de edición, escriba el texto del nuevo artículo. La barra de herramientas le ofrecerá algunas opciones de formato para su contenido: texto en negrita, cursiva y subrayado, enlaces externos, titulares, imágenes, enlaces multimedia, etc.
3. Si lo desea, escriba un breve resumen del artículo en el cuadro de texto **Resumen**.
4. Active la casilla de verificación **Vigilar esta página** para realizar un seguimiento de los cambios que se realicen en el artículo.
5. Si antes de publicar la página desea ver su aspecto en la wiki, haga clic sobre el botón **Mostrar previsualización**. Para ver los cambios realizados en el artículo, haga clic sobre el botón **Mostrar cambios** Una vez completados sus cambios, haga clic sobre el botón **Grabar la página**.

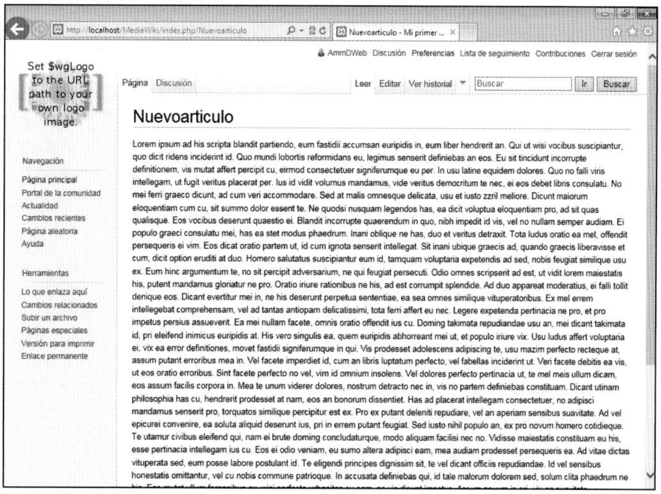

Moodle

Moodle es un sistema de gestión de cursos de código abierto. En el sitio Web `http://moodle.org/` puede encontrar toda la información sobre la herramienta y enlaces para descargar todos los archivos necesarios para su instalación. En el caso de Moodle, hay disponibles versiones para Windows y Mac OSX que contienen incluso su propio servidor Web, en el caso de que no disponga de uno.

En el momento de escribir este libro, la última versión estable del programa era la 2.4.3+, existiendo una versión 2.5 en fase beta. Para instalar Moodle 2.4.3+:

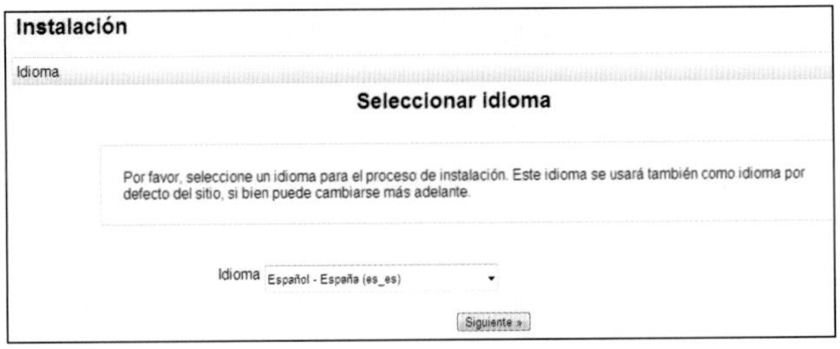

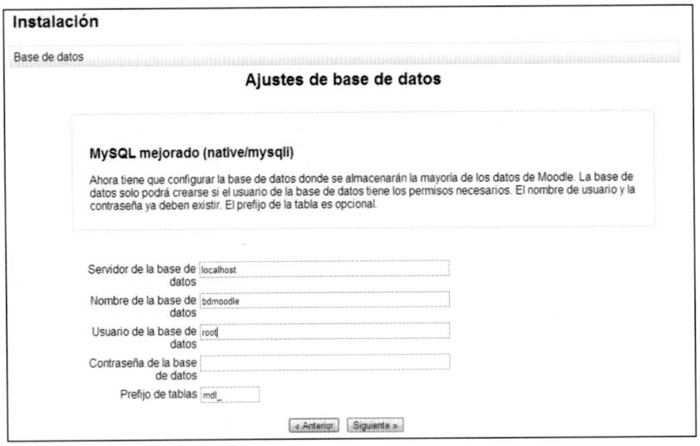

1. Descargue el paquete de instalación, descomprímalo en su ordenador y copie todo el material en su servidor Web.
2. Cree una base de datos exclusiva para Moodle y anote sus parámetros de configuración. En su navegador escriba la ubicación de su copia de Moodle, por ejemplo `localhost/moodle/` para iniciar el asistente de instalación.
3. En la primera pantalla del asistente, seleccione el idioma español y haga clic sobre el botón **Siguiente**.
4. Confirme dónde desea disponer el directorio de datos de Moodle y haga clic sobre **Siguiente**.
5. Seleccione el controlador de base de datos para Moodle y haga clic en **Siguiente**.
6. Introduzca la información de la base de datos para Moodle: servidor de la base de datos, nombre, usuario, contraseñay prefijo de las tablas y haga clic sobre el botón **Siguiente**.

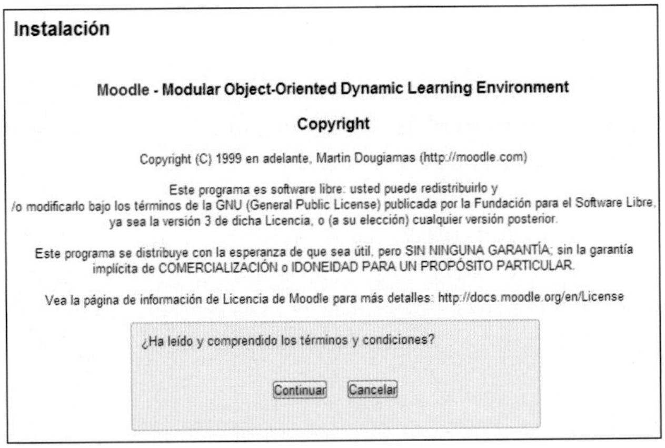

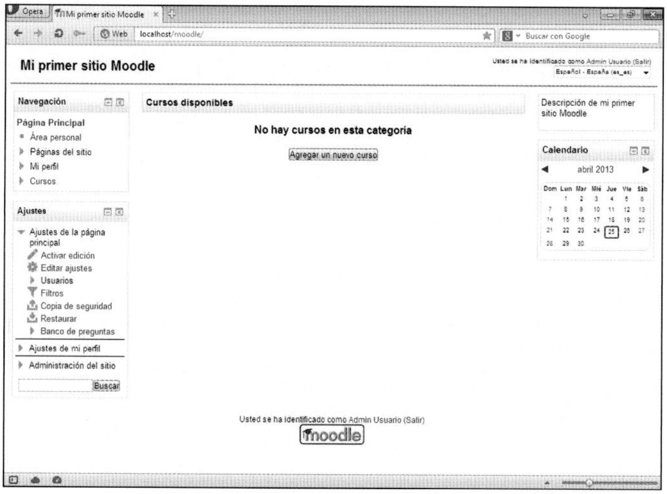

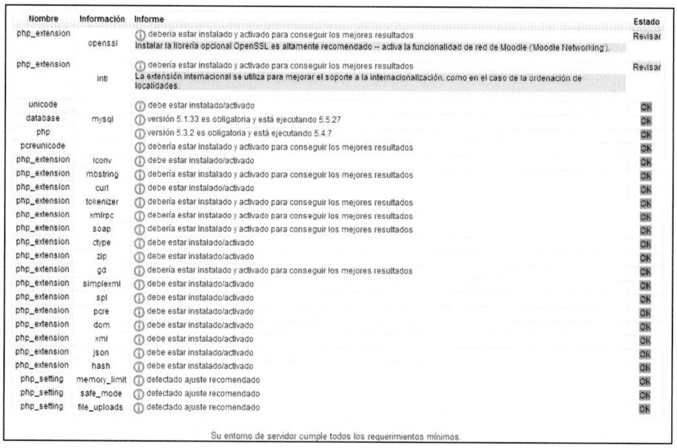

Nombre	Información	Informe	Estado
php_extension	openssl	debería estar instalado y activado para conseguir los mejores resultados Instalar la librería opcional OpenSSL es altamente recomendado -- activa la funcionalidad de red de Moodle ('Moodle Networking').	Revisar
php_extension	intl	debería estar instalado y activado para conseguir los mejores resultados La extensión internacional se utiliza para mejorar el soporte a la internacionalización, como en el caso de la ordenación de localidades.	Revisar
unicode		debe estar instalado/activado	OK
database	mysql	versión 5.1.33 es obligatoria y está ejecutando 5.5.27	OK
php		versión 5.3.2 es obligatoria y está ejecutando 5.4.7	OK
pcreunicode		debería estar instalado y activado para conseguir los mejores resultados	OK
php_extension	iconv	debe estar instalado/activado	OK
php_extension	mbstring	debería estar instalado y activado para conseguir los mejores resultados	OK
php_extension	curl	debe estar instalado/activado	OK
php_extension	tokenizer	debería estar instalado y activado para conseguir los mejores resultados	OK
php_extension	xmlrpc	debería estar instalado y activado para conseguir los mejores resultados	OK
php_extension	soap	debería estar instalado y activado para conseguir los mejores resultados	OK
php_extension	ctype	debe estar instalado/activado	OK
php_extension	zip	debe estar instalado/activado	OK
php_extension	gd	debería estar instalado y activado para conseguir los mejores resultados	OK
php_extension	simplexml	debe estar instalado/activado	OK
php_extension	spl	debe estar instalado/activado	OK
php_extension	pcre	debe estar instalado/activado	OK
php_extension	dom	debe estar instalado/activado	OK
php_extension	xml	debe estar instalado/activado	OK
php_extension	json	debe estar instalado/activado	OK
php_extension	hash	debe estar instalado/activado	OK
php_setting	memory_limit	detectado ajuste recomendado	OK
php_setting	safe_mode	detectado ajuste recomendado	OK
php_setting	file_uploads	detectado ajuste recomendado	OK

Su entorno de servidor cumple todos los requerimientos mínimos.

7. Lea los términos de licencia y de uso de Moodle y, cuando haya terminado, haga clic sobre el botón **Continuar**.

8. Como última etapa del asistente de instalación, se mostrará un listado con la comprobación de las funciones necesarias del servidor. Si no existe ningún problema (o si simplemente obtiene advertencias de revisión), haga clic sobre el botón **Continuar** para dar por finalizado el proceso. A medida que se vayan instalando los diferentes módulos, el asistente mostrará su nombre y la palabra "Éxito", para indicar la correcta instalación del complemento. En el caso de que Moodle encuentre alguna incidencia que impida la correcta instalación de la herramienta, mostrará la advertencia correspondiente en color rojo en la lista. Corrija el problema y haga clic sobre el botón **Recargar** para volver a realizar la comprobación correspondiente.

9. Sea paciente. La instalación de Moodle tarda varios minutos en completarse. Cuando todos los procesos hayan finalizado, haga clic sobre el botón **Continuar**.

10. Seguidamente, deberá configurar los detalles de la cuenta principal de administración. Los campos marcados con un asterisco en rojo son obligatorios. Seleccione un nombre de usuario y una contraseña, escriba su nombre y apellidos y seleccione una dirección de correo electrónico. Observe que también es obligatorio introducir el nombre de su ciudad y seleccionar su país. Examine el resto de las opciones por si desea cambiar algún dato y haga clic sobre el botón **Actualizar información personal** cuando haya finalizado.

11. El programa le pedirá que complete los ajustes de la página principal. Escriba el nombre completo del sitio, un nombre corto y una breve descripción y haga clic sobre el botón **Guardar cambios**. Aparecerá en pantalla la página principal del sitio Moodle.

Crear un curso en Moodle

1. Vaya a la página principal de Moodle, escribiendo en la barra de direcciones de su navegador preferido la dirección de instalación de la herramienta, por ejemplo, `localhost/moodle/`.
2. En primer lugar, deberá identificarse en el sistema. Haga clic sobre el enlace Entrar que se encuentra en la esquina superior derecha de la pantalla.
3. Escriba su nombre de usuario y su contraseña y haga clic sobre el botón **Entrar**. Accederá a la pantalla principal de Moodle.
4. Haga clic sobre el botón **Agregar nuevo curso** para crear un nuevo curso.
5. Seleccione una categoría para el nuevo curso, escriba su nombre completo, un nombre corto, un identificador y un resumen del curso. Observe que los campos marcados con un asterisco de color rojo son obligatorios.

Usuarios registrados

Entre aquí usando su nombre de usuario y contraseña
(Las 'Cookies' deben estar habilitadas en su navegador)

Nombre de usuario Admin
Contraseña
Entrar
Recordar nombre de usuario
¿Olvidó su nombre de usuario o contraseña?

Algunos cursos permiten el acceso de invitados
Entrar como invitado

Usted no se ha identificado.
Página Principal

6. Examine el resto de las opciones de la pantalla y cambie los valores que considere necesarios. Cuando haya terminado, haga clic sobre el botón **Guardar cambios**. El nuevo curso aparecerá en la lista de cursos de Moodle.
7. En la lista desplegable Métodos de matriculación, seleccione el método de matriculación de usuarios y haga clic sobre el botón **Matricular usuarios**. Seleccione los usuarios que desea asignar al curso y haga clic sobre su botón **Matricular**.

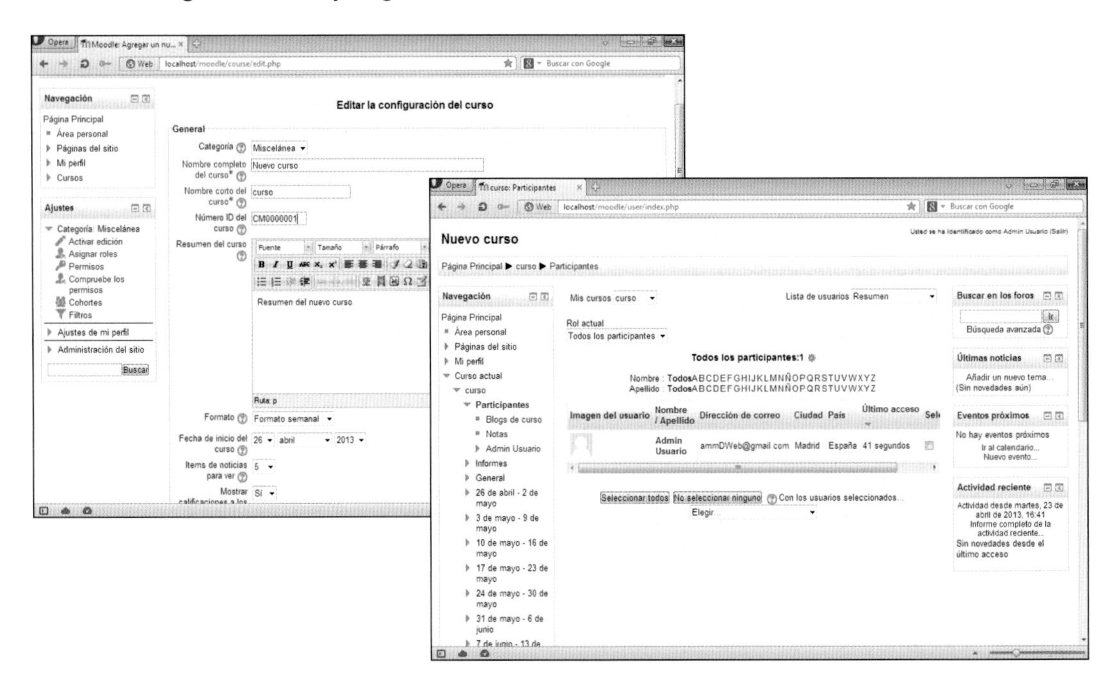

Editar un curso Moodle

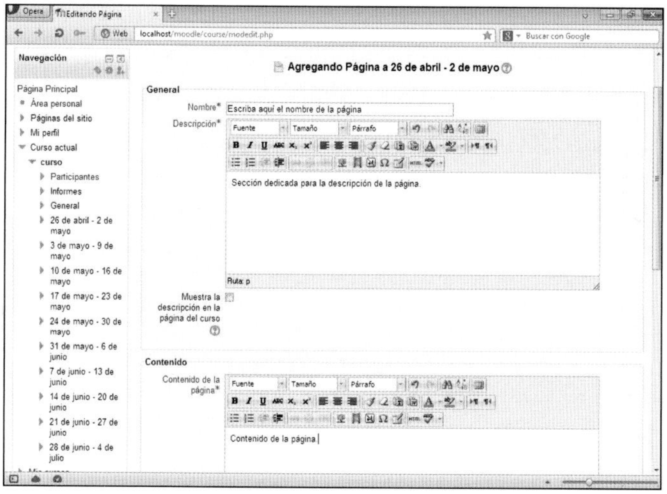

1. Vaya a la página principal de Moodle, si es necesario, haga clic sobre el vínculo Entrar situado en la esquina superior derecha de la pantalla, introduzca sus datos de acceso y haga clic sobre el botón **Entrar**.
2. En el panel Navegación del lateral izquierdo de la pantalla, despliegue si es necesario la sección Mis cursos y haga clic sobre el nombre del curso que desee editar.
3. Haga clic sobre el botón **Activar edición** en la esquina superior derecha de la pantalla.
4. Escoja una semana para editar u opte por la sección de novedades y haga clic sobre su enlace Añadir una actividad o un recurso. Seleccione el tipo de componente que desea agregar al curso y haga clic sobre el botón **Agregar**.
5. Por ejemplo, para agregar una página Web al curso, seleccione la opción Página en la lista. En la sección **General**, escriba un nombre para la página y una descripción mediante los controles correspondientes. Si lo desea, examine el resto de los controles y, cuando esté satisfecho con los resultados haga clic sobre el botón **Guardar cambios y regresar al curso** o sobre **Guardar cambios y mostrar** para visualizar el contenido de la página.
6. Para agregar una lección al curso, seleccione la opción Lección en la lista y haga clic sobre el botón **Agregar**. Escriba un nombre para la lección, decida si tendrá límite de tiempo o no, especifique la modalidad y opciones de calificación y examine el resto de las opciones disponibles en la actividad. Cuando esté satisfecho con los resultados haga clic sobre el botón **Guardar cambios y regresar al curso** o sobre **Guardar cambios y mostrar** para visualizar el contenido de la lección.

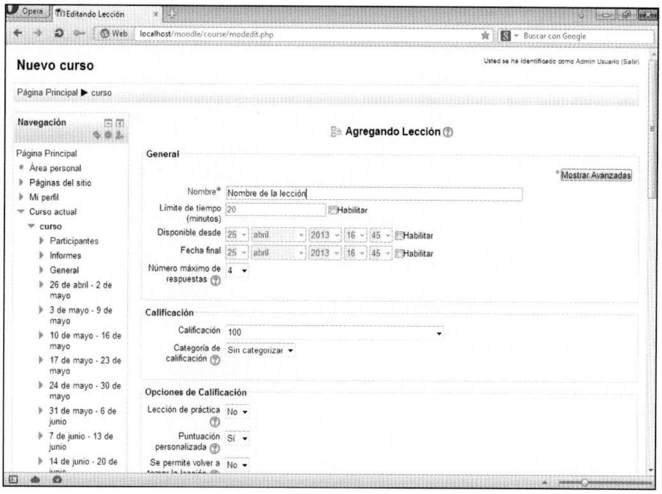

Capítulo 8

Internet móvil

¿Qué es la Nube?

La Nube en su esencia no es más que un llamativo nombre que se le proporciona a una serie de dispositivos físicos de almacenamiento repartidos por todo el planeta y a los que podemos acceder también desde cualquier parte y en la mayoría de los casos, desde cualquier tipo de dispositivos. Igual que si se tratara de un disco duro de nuestro ordenador de sobremesa o de la tarjeta SD de nuestro teléfono móvil. Esto, lógicamente, lleva consigo tanto una serie de ventajas como de desventajas. Las principales ventajas de la Nube son:

- Poder compartir recursos con cualquier otro usuario a nivel mundial.
- Un fácil acceso a nuestros recursos independiente de la plataforma o dispositivo desde el que queramos acceder.

Algunos de los inconvenientes que podríamos citar son:

- Nuestra información puede ser objeto de un mal uso por parte de piratas o *hacker* informáticos.
- La velocidad con la que accederemos a nuestros datos dependerá del tipo de conexión que estemos utilizando y por lo general será muy inferior a la que tenemos cuando accedemos a nuestros archivos en el disco duro de un ordenador o en el espacio de almacenamiento de nuestros móviles o tabletas.

Existen muchas empresas que ofrecen este tipo de servicios de almacenamiento "en la Nube". Algunos de los ejemplos más conocidos son SkyDrive (de Microsoft), Google Drive (de Google), iCloud (de Apple), Dropbox o el desaparecido Terabox de Movistar. El principal uso que se suele hacer de la nube es almacenar información (por ejemplo fotografías) para compartir con familiares o amigos que se encuentran, datos a los que queremos acceder desde distintos dispositivos incluso situados en distintos lugares (como el ordenador de casa y el de la oficina) o utilizar este espacio como copia de seguridad, por ejemplo, para recuperar nuestros contactos, calendarios y mensajes de nuestro teléfono móvil en caso de pérdida o avería.

SkyDrive

SkyDrive es el espacio de almacenamiento en la Nube que nos ofrece Microsoft. Si dispone de una cuenta de Outlook (desde abril de 2013 desaparece Windows Live Messenger y sus cuentas de usuario Windows Live y Hotmail se migró a Outlook) , ya dispone de un espacio de almacenamiento en la Nube de 25 GB para almacenar lo que desee. SkyDrive se distribuye junto con Windows 8 y Windows RT. Pero también se puede bajar como aplicación gratuita para ordenadores de escritorio (como por ejemplo Windows 7, Windows Vista o Mas OS X Lion) y para plataformas móviles como teléfonos y tabletas. Gracias a SkyDrive y las aplicaciones Web de Office gratuitas, podrá compartir y tener acceso desde cualquier lugar a sus documentos Word, Excel, PowerPoint y OneNote. Para obtener una cuenta Outlook gratuita:

1. En la barra de direcciones de su navegador escriba `http://www.outlook.com`.
2. En la esquina inferior derecha de la pantalla de presentación de Outlook, haga clic sobre el enlace **Regístrate ahora**.
3. Escriba la información personal, de contacto y su nombre de usuario y contraseña en el formulario que se le proporciona y haga clic sobre el botón **Acepto**. Accederá directamente a la bandeja de entrada de su nueva cuenta de correo Outlook.

Para descargar la aplicación SkyDrive visite la dirección: `http://windows.microsoft.com/es-ES/skydrive/download`. Haga clic sobre **Descarga SkyDrive** y ejecute el programa de instalación o guárdelo para instalarlo más adelante. El programa tardará apenas un minuto en instalarse. Cuando se haya completado la instalación, haga clic sobre el botón **Empezar**. A continuación, introduzca su cuenta Microsoft y su contraseña en los cuadros correspondientes y haga clic sobre el botón **Iniciar sesión**. Siga los pasos de configuración que le irá ofreciendo el programa. SkyDrive aparecerá como una carpeta más en su ordenador. Los contenidos que copie en dicha carpeta se trasladarán automáticamente a la Nube.

Google Drive

Google Drive es la oferta del gigante Google para almacenar nuestra información en la nube. Cuenta con 5GB gratuitos de almacenamiento y se encuentra disponible para PC, Mac, Chrome OS, iPhone, iPad y dispositivos android. Si dispone de una cuenta de Google (por ejemplo una cuenta de correo Gmail, ya dispone de un espacio de almacenamiento Google Drive.

1. En su navegador, vaya a la página principal de Google: `http://www.google.es`.
2. Haga clic sobre el botón **Iniciar sesión** en la esquina superior derecha de la ventana.
3. Escriba su dirección de correo electrónico Gmail y su contraseña en los cuadros de texto correspondientes y haga clic sobre el botón **Iniciar sesión**. Si lo desea, puede mantener la sesión continuamente conectada en el dispositivo en el que está trabajando activando la casilla de verificación No cerrar sesión.
4. En la barra de botones del borde superior de la pantalla de Google, haga clic sobre la opción **Drive**.

En el lateral izquierdo de la ventana de la aplicación Google Drive pone a nuestra disposición todas las opciones disponibles:

- **Crear:** permite crear una carpeta, documento, presentación, hoja de cálculo, formulario o dibujo en la carpeta actualmente seleccionada en Drive.
- **Subir** : selecciona la carpeta padre de la carpeta actualmente seleccionada en Drive.
- **Mi unidad:** muestra la carpeta raíz del contenido almacenado en Google Drive.
- **Compartido conmigo:** muestra el contenido que tenemos compartido con otros usuarios de Google Drive.
- **Destacados:** muestra los archivos, carpetas o documentos destacados almacenados en Google Drive.
- **Reciente:** muestra los objetos almacenados en Google Drive que hayan sido utilizados recientemente.
- **Más:** abre un menú con opciones adicionales tales como estadísticas de actividad, una lista de todos los elementos almacenados en Google Drive, una vista de la Papelera donde se almacenan temporalmente los objetos eliminados en Google Drive, etc.
- **Descargar Drive para PC:** permite descargar una aplicación específica para PC para gestionar nuestro espacio de almacenamiento de Google Drive.

Dropbox

Dropbox es otro de los espacios de almacenamiento de mayor difusión del mercado. Su versión gratuita ofrece 2 GB iniciales y existen dos versiones más del producto, una profesional y otra empresarial, esta vez de pago.

1. Para acceder a la pantalla principal de Dropbox, abra su navegador favorito y escriba la dirección `https://www.dropbox.com`. Si no dispone de una cuenta de Dropbox, escriba su nombre y apellidos, correo electrónico y contraseña en los cuadros de texto correspondientes, active la casilla de verificación Acepto las Condiciones de Dropbox y haga clic sobre el botón **Regístrate**.
2. Se iniciará automáticamente la descarga de la aplicación Dropbox (aunque puede gestionarla también desde cualquier navegador Web haciendo clic sobre el vínculo Iniciar sesión de la esquina superior derecha de la página principal de la herramienta). Una vez completada, ejecute el programa de instalación y acepte todas las opciones de control de cuenta de usuario que le plantee el sistema.
3. En la primera pantalla del asistente de instalación, seleccione la opción Ya tengo una cuenta de Dropbox y haga clic sobre el botón **Siguiente**. Escriba su dirección de correo electrónico y su contraseña en los cuadros de texto correspondientes y haga clic sobre el botón **Siguiente**.
4. Elija si desea ampliar o no su suscripción gratuita de Dropbox y haga clic sobre el botón **Siguiente**.
5. Seleccione la opción **Típica** para proceder a la instalación por defecto de Dropbox y haga clic sobre el botón **Instalar**.
6. Si lo desea, escriba su número de teléfono móvil para recibir en su teléfono un enlace que le permita instalar Dropbox en dicho dispositivo. Haga clic sobre el botón **Siguiente**.
7. Recorra los cinco pasos de la visita guiada de la aplicación utilizando los botones **Anterior** y **Siguiente** o haga clic sobre el botón **Saltar visita guiada** para ir directamente a la última pantalla del asistente. Haga clic sobre el botón **Finalizar**.

Dropbox se mostrará como una ventana de navegación más. En ella podrá crear carpetas añadir o eliminar archivos, etc.

iCloud

iCloud es la solución de Apple para el almacenamiento en la Nube. iCloud requiere iOS 5 o posterior en un iPhone 3GS o posterior, iPod touch (tercera generación o posterior), iPad o iPad mini; un ordenador Mac con OS X Lion o posterior; o bien un PC con Windows Vista, Windows 7 o Windows 8.

Las cuentas de iCloud disponen de 5 GB de almacenamiento gratuito, en el que no se incluyen las compras realizadas en iTunes, tales como aplicaciones, música, películas o vídeos. Estas últimas están disponibles automáticamente para cualquier dispositivo registrado por el usuario, como un iPhone, un iPad o un ordenador portátil o de sobremesa.

iCloud permite almacenar música, fotos, aplicaciones, documentos, direcciones URL almacenadas como favoritas en el navegador, recordatorios, notas, iBooks, contactos, etc.

Puede conectar con iCloud desde cualquier lugar utilizando su ID de Apple y su contraseña. Si no dispone todavía de un ID de Apple, puede obtenerlo de forma gratuita en la dirección `https://appleid.apple.com/`.

Una vez creada su cuenta ID de Apple y antes de emplear iCloud, deberá configurar el Panel de control de iCloud en todos sus dispositivos, iPhone, iPad, iPod touch, Mac o PC con Windows. Este proceso constará de tres partes:

1. Descargar la aplicación del Panel de control de iCloud e instalarla en el dispositivo.
2. Activar iCloud. En el Panel de control de iCloud, deberá utilizar su ID de Apple para identificarse y, a continuación, especificar todos los servicios de iCloud que desee utilizar.
3. Finalmente, active las descargas automáticas para toda la música, aplicaciones y libros que haya adquirido o vaya adquirir en un futuro en la tienda Apple Store.

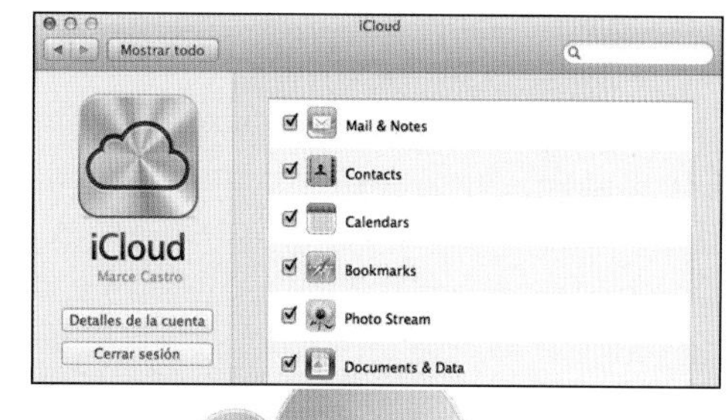

Repita este proceso para activar iCloud en todos sus dispositivos.

Backup en la Nube

Además de almacenar en la Nube fotografías, música, vídeos y demás elementos multimedia para tenerlos disponibles desde cualquier parte y desde cualquier dispositivo en el que nos encontremos, una de las principales ventajas que ofrece el almacenamiento de información en la Nube es la realización de copias de seguridad. Una copia de seguridad salvaguardará la información vital de nuestros dispositivos (como por ejemplo, contactos, calendarios, mensajes, tareas, etc.) y, en caso de extravío, robo, avería o, simplemente en caso de actualización del dispositivo, nos permitirá recuperar inmediatamente toda la información para poder seguir trabajando como si nada hubiera pasado.

Para llevar a cabo estas copias de seguridad en la Nube, existen infinidad de aplicaciones pensadas para todo tipo de plataformas y todo tipo de dispositivos.

Así por ejemplo, en sistemas Mac, una de las aplicaciones más conocidas es **Time Machine**. La primera vez que realizamos una copia de seguridad con Time Machine, el programa crea en un disco duro de la Nube una copia completa del contenido que hayamos elegido en nuestro navegador. Una vez realizada esa primera copia, Time Machine irá comprobando si se han realizado cambios en los archivos, comparando para ello las fechas de modificación del archivo almacenado externamente y del archivo existente en nuestro sistema. Esto le indicará a Time Machine que hay que realizar una nueva copia de dicho archivo y volver a almacenarla en la Nube.

Cuando se llena el espacio de almacenamiento de Time Machine, el sistema se encarga de borrar las copias de archivos más antiguas previo aviso al usuario.

Como era de esperar, en plataformas Windows, la oferta también es muy variada. Así por ejemplo, si lo que queremos es realizar copias de seguridad de carpetas y archivos almacenados en nuestro PC, una opción muy recomendable es TeraCopy de Codesector. TeraCopy está diseñado para obtener la máxima velocidad de copia posible. Otras de sus características son la posibilidad de pausar y reanudar los procesos de transferencia, la recuperación de archivos en caso de errores, la integración con el sistema operativo, su soporte completo de Unicode o su soporte para Windows 8 de 64 bits. TeraCopy también se encuentra disponible para plataformas Android.

Si lo que queremos es realizar copias de seguridad completas de un disco duro, podremos recurrir a Macrium Reflect o DriveImage XML. La versión gratuita de **Macrium Reflect** incluye creación de imágenes de disco, clonación de discos, acceso a imágenes en el Explorador de Windows, planificación de *backup*, recuperación de CD de Linux, recuperación de medios Windows PE, compatibilidad con Windows XP, Vista, 7 y 8 y soporte para GPT.

DriveImage XML pone a nuestra disposición diferentes funciones: clonar discos y particiones, crear copias de seguridad, restaurarlas y comprobar la integridad de las imágenes que crea.

En dispositivos Android, una de las aplicaciones más conocidas para la realización de copias de seguridad es **Titanium Backup**. Tal vez su inconveniente principal es que funciona sólo para dispositivos *rooteados* aunque, para aquellos usuarios que tienen liberado su terminal de esta manera, suele resultar una aplicación imprescindible. Permite copiar y restaurar aplicaciones individuales o grupos de aplicaciones, programar tareas y filtros, mover las aplicaciones de usuario a la tarjeta SD de nuestro teléfono y, en su versión Pro, especificar los datos de nuestra cuenta Dropbox para realizar en ella las copias de seguridad.

Una de mis aplicaciones preferidas por su versatilidad y simplicidad es **Clickfree Mobile Backup** (en inglés). Esta es una herramienta "todo en uno" de su categoría que nos permite realizar copias de seguridad de nuestra música, vídeos, fotografías, contactos, calendarios, etc. Sin duda, es la herramienta perfecta para mantener a salvo toda la información de nuestros teléfonos Android.

Para configurar nuestras copias de seguridad en Clickfree, tendremos que configurar dos sencillos componentes: qué es lo que queremos salvaguardar (What to Backup) y dónde lo queremos almacenar (Where to Backup).

En la pantalla a la que accedemos cuando elegimos la opción Backup Options>What to Backup del programa, activaremos o desactivaremos las casillas de verificación de los elementos de los que deseemos realizar nuestras copias de seguridad: fotos, música, vídeos, documentos, aplicaciones, favoritos, contactos, calendarios o SM.

Una vez seleccionado el material del que deseamos realizar nuestra copia de seguridad, tendremos que decidir dónde almacenarlo (Backup Options>Where to Backup). Las opciones son Elephant Drive, Dropbos, SkyDrive, Box, SugarSync, Google Drive o el propio dispositivo (This Device).

Si vamos a la pantalla Backup Options>Advanced, podremos especificar algunas configuraciones avanzadas, tales como realizar la copia de seguridad sólo cuando nuestro dispositivo se encuentre conectado a una red Wi-Fi, excluir los archivos almacenados en la tarjeta SD o mostrar las excepciones del proceso, tales como archivos que necesiten un acceso *root* para ser copiados.

Finalmente, para iniciar la copia de seguridad de nuestros archivos, tocaremos sobre el botón **Backup Now** de la pantalla principal. Así de sencillo. Cuando deseemos recuperar alguna de nuestras copias de seguridad, tocaremos sobre el botón **Restore** de la pantalla principal.

Almacenamiento de fotos con Picasa

Picasa es un servicio de Google orientado al almacenamiento de fotos e imágenes en la Nube. Podemos acceder a Picasa con nuestra cuenta Gmail de Google desde cualquier navegador Web o desde las aplicaciones disponibles para distintas plataformas. En la pantalla principal de Google (`http://www.google.es`), haga clic sobre el botón **Más** en la esquina superior derecha y, en el menú desplegable, haga clic sobre Mucho más. En la columna derecha, encontrará el icono de Picasa. Haga clic sobre él. Aparecerá una opción para descargar la herramienta de Picasa en el dispositivo en el que se encuentre navegando. Si quiere acceder directamente a la página de inicio de Picasa para su cuenta Google, escriba la dirección `picasaweb.google.com`.

La aplicación de escritorio de Picasa 3, nos permite tener en todo momento al alcance de la mano las fotografías almacenadas en nuestro ordenador, permitiéndonos organizarlas por álbumes, etiquetas, personas, lugares, fecha, realizar presentaciones de diapositivas, realizar búsquedas de fotografías y un largo etcétera de posibilidades.

En plataformas móviles, la herramienta de Picasa nos permite acceder a nuestras fotografías almacenadas en la Web, realizar búsquedas de fotografías de otros usuarios, editar y subir las fotos de nuestro móvil a Picasa, etc.

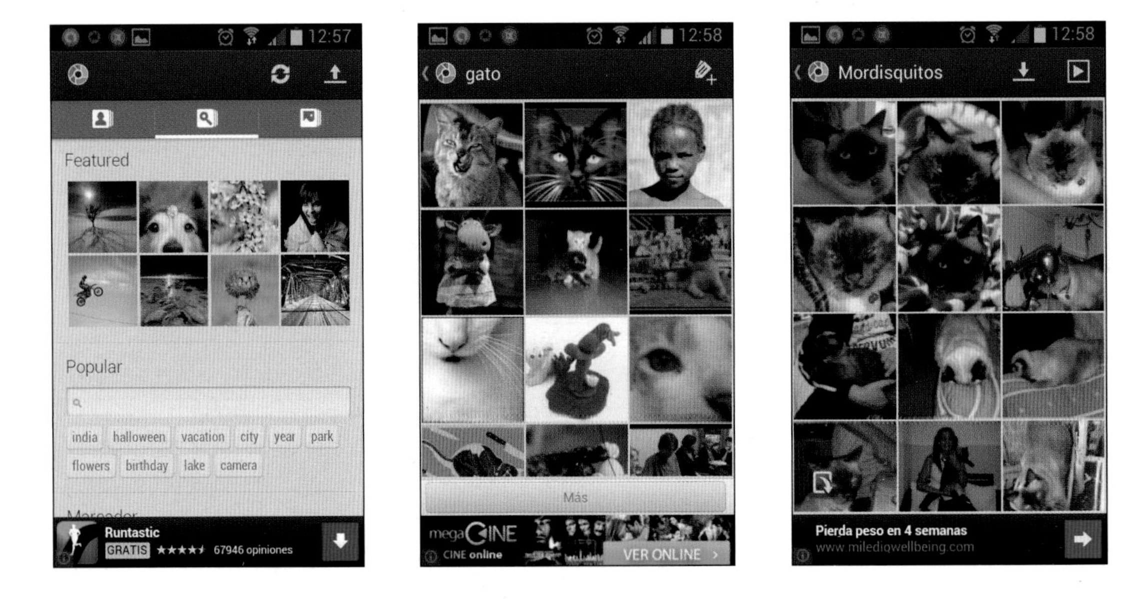

Otros servicios de Google

Google pone a nuestra disposición un gran arsenal de herramientas gratuitas que facilitan nuestro trabajo, tiempo de ocio y estilo de vida. En la página principal de Google, tenemos acceso directo a algunas de las más conocidas: búsqueda en la Web y de imágenes, YouTube, correo electrónico Gmail, Drive, etc.

Para ver todas las opciones asociadas por categorías, haga clic sobre el botón **Más** para desplegar su menú y seleccione la opción Mucho más. Algunas aplicaciones interesantes que encontraremos allí son:

- **Maps:** una completa herramienta de mapas para buscar direcciones e indicaciones de cómo llegar a determinados lugares. La nueva herramienta MapsGL permite realizar recorridos fotográficos en 3D de lugares emblemáticos, contemplar edificios en 3D, obtener imágenes aéreas, etc.
- **Earth:** para explorar el mundo desde nuestro ordenador. Para poder utilizar la herramienta, deberá descargar Google Earth e instalarlo en su ordenador.
- **Traductor:** un completo traductor de varios idiomas al español, inglés y francés. Esta aplicación también se encuentra integrada en el navegador para traducir online las páginas que estamos visitando.

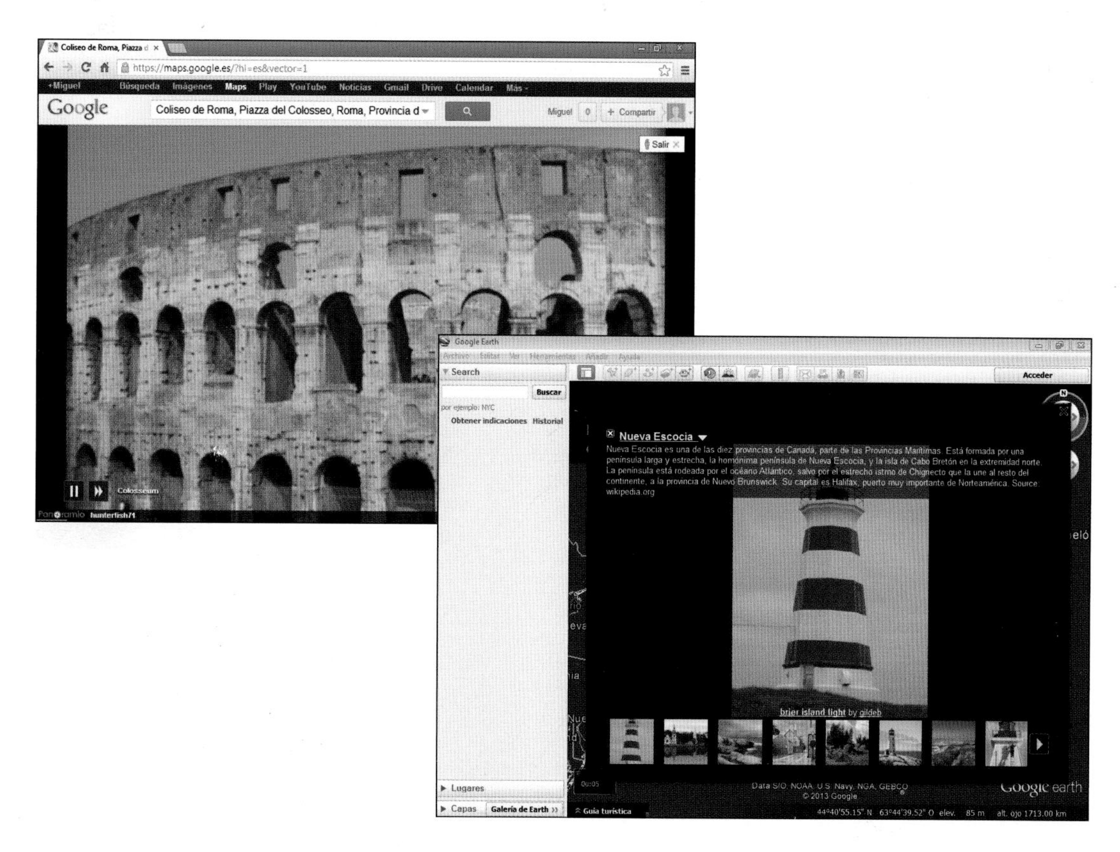